한 번에 끝내는

중학 한국사 워크북

1

선사 시대부터 고려 시대까지

이정화 · 안혜진 · 한윤옥 지음

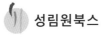
성림원북스

똑똑독 연구소(ddokddokdok.com)
똑똑독 연구소는 열정 넘치는 독서지도사 선생님들이 새롭고 다양한 교재를 개발하고자 모인 단체이다. '똑똑한 독서나라, 똑똑독'은 학생들이 책을 단순히 읽는 데 그치지 않고, 주제를 깊이 이해하고 비판적으로 수용한 뒤 자신의 삶에 적용할 방법을 찾게 하는 교재를 공급하자는 목표로 만든 인터넷 사이트이다.

한 번에 끝내는
중학 한국사 워크북
❶—선사 시대부터 고려 시대까지

ⓒ 이정화 · 안혜진 · 한윤옥, 2022

초판 1쇄 인쇄 2022년 6월 27일
초판 2쇄 발행 2024년 1월 22일

지은이 이정화 · 안혜진 · 한윤옥
펴낸이 이성림
펴낸곳 성림북스

책임편집 노은정
디자인 쏘울기획

출판등록 2014년 9월 3일 제25100-2014-000054호
주소 서울시 은평구 연서로3길 12-8, 502
대표전화 02-356-5762   **팩스** 02-356-5769
이메일 sunglimonebooks@naver.com

ISBN 979-11-88762-61-3 44910
ISBN 979-11-88762-60-6 44910(세트)

한국사 일만 봉우리, 《한 번에 끝내는 중학 한국사 워크북》과 함께 올라 봐요!

이 글을 읽는 중학생이라면 아마도 많든 적든 역사 공부 경험이 있을 거라 생각해요. '역사' 하면 어떤 생각이 드나요? '이야기로 들으면 재미있는데 역사 공부는 왜 재미도 없고 어렵지?', '초등학교 때도 배웠는데 왜 기억나는 게 하나도 없지?' 이런 학생들도 있을 테고, '난 역사가 너무 좋아. 역사 선생님 될 거야.' 드물지만 이런 학생도 분명 있을 거라고 믿어요.

작년 가을, 《한 번에 끝내는 중학 세계사 워크북》을 펴내며 머리말에서 그런 이야기를 했어요. '중학교 세계사 교과서의 설명서가 중학 세계사이고, 중학 세계사라는 설명서를 좀 더 잘 이해하고 실제 내 것으로 만들기 위해 도와주는 동영상이 중학 세계사 워크북'이라고 말이죠. 그 말을 한 번 더 해야 할 것 같아요.

아주 잘 만든 요약본 한국사인 역사 교과서를 친절하게 설명해 주는 책이 《한 번에 끝내는 중학 한국사》라면, 《한 번에 끝내는 중학 한국사 워크북》은 '한국사'라는 가파르고 봉우리 많은 산을 종주할 수 있게 도와주는 코치라고요. 어떤 봉우리부터 올라야 효율적인 산행이 될지, 어떤 속도로 걷고, 어디에서 쉬어야 할지 알려주어 무사히 정상에 서서 시원한 산바람을 만끽할 수 있게 도와주는 코치님이요.

여러분보다 먼저, 더 많이 경험하며 익숙해진 산길을 안내하는 가이드이자, 여러분을 응원하며 바라봐 주는 코치가 되고 싶은 마음을 담아 워크북을 만들었어요.

3

이미 세계사 워크북을 경험한 학생은 재회의 기쁨으로, 한국사로 처음 워크북을 만나는 학생은 긴장과 설렘으로, 길지만 짧을 한국사 등반을 함께해요.

활동을 하나하나 살펴보기 전에 이 워크북이 어떻게 구성되어 있는지 전체를 훑어 보도록 할게요.

1단계 : 〈책을 읽기 전에〉, 〈책을 읽으며〉는 본문을 읽기 전에 어떤 내용을 배울지, 알 아둬야 하는 용어들이 무엇인지 등을 안내하며 본격적인 읽기를 준비하는 단 계예요. 준비단계의 중요성, 더 언급하지 않아도 잘 알죠?

2단계 : 〈한눈에 보기〉는 각 장을 읽으며 알아본 내용을 한눈에 알아보기 쉽도록 표와 도식 등을 활용하여 구조화해 보는 단계예요. 핵심적인 내용을 쉽게 기억할 수 있도록 말이죠.

3단계 : 〈역사논술〉은 책에서 설명하고 있는 주요 사건들에 대한 맥락과 의의를 잘 파 악하고 있는지를 서술형으로 정리하는 단계예요. 역사적 사건에 대한 자신의 의견을 조리 있게 밝히는 내용도 포함되어 있어요.

4단계 : 〈실력 키우기〉는 활동의 마지막 단계로, 각 장에서 학습한 내용을 활용해 자기 실력을 종합적으로 파악해 보는 활동이에요.

책을 읽기 전에

🌍 **1장 본문을 통해 알아 두어야 할 내용이 무엇인지 생각하며 다음 내용을 읽어 보자.**

- 만주와 한반도의 선사 시대 문화에 대해 이야기해 보세요.
- 청동기 시대에 나타난 변화에 대해 설명해 보세요.
- 단군 신화에 숨겨진 역사적 사실은 무엇일까요?
- 8조 법과 자료를 통해 고조선 사회의 모습과 특징을 설명해 보세요.

　　가장 먼저 할 일은 본 책을 읽기 전에 워크북을 먼저 펼쳐 보는 거예요. 바로 위에 있는 예시처럼 매 장마다 〈책을 읽기 전에〉라는 제목으로 해당 장을 더 잘 읽기 위해 마음을 열고 생각을 깨우는 활동이 제시되어 있어요. 각 장마다 제시된 활동을 수행하며 '이 장에서는 이런 내용들을 살펴보고 기억하면 좋겠구나.' 하며 전체 내용을 그려보는 거예요. 본문 읽기를 위해 예열하며 준비하는 시간이니 너무 긴 시간을 할애하거나 에너지를 많이 쓰지 않아도 됩니다.

책을 읽으며

1. 만주와 한반도의 선사 문화와 고조선 역사를 읽으며 중요하다고 생각하는 내용에 밑줄 쳐 보자.

읽기 전 활동을 끝내면, 이제 본격적으로 책을 읽습니다. 〈책을 읽으며〉는 밑줄 치기 활동으로 책 본문을 읽는 과정에서 수행하는 활동입니다.

밑줄을 치며 읽으면 시간은 더 소요되겠지만, 한국사를 공부하자고 마음먹었다면 '빨리 읽어 버리기'는 곤란해요. 그러면 읽고 난 후에 머릿속에 저장된 내용은 거의 없을 테니까요. 저장된 것 같아도 책을 덮는 순간 스르르 연기처럼 사라져 버릴 거예요. 그러므로 속도보다 해당 내용을 이해하고 기억하려는 마음을 부여잡고 읽어 보세요. 중요한 내용을 잘 모르겠다 싶으면 한 문단을 차근차근 읽고 나서 중요한 내용을 생각해 본 다음 그 부분에 밑줄을 치는 것도 좋습니다. 다음 활동이 빈칸 채우기이니 빈칸이 될 것 같은 부분을 찾아 밑줄 치는 것도 방법이지요.

책을 읽으며 해야 할 활동 두 번째는 소제목에 따른 부분별로 워크북 빈칸 채우기입니다. 정확히 말하면 읽은 후 활동이지요. 각 장별로 단숨에 읽고 빈칸을 채워도 되지만, 한 번에 하는 공부 분량을 줄일수록 기억하기 쉬울 테니 소제목에 딸린 내용별로 읽고 수행하기를 추천합니다.

빈칸을 채우다 보면 생각보다 어렵다고 느낄 수 있습니다. 그럴 때는 잠시 멈춰 자신의 책 읽기 과정을 돌아보세요. 꼼꼼히 읽지 않아서 그럴 수도 있고, 내가 생각하는 중요한 내용과 워크북의 빈칸이 다를 수도 있어요. 무엇보다 한국사에서 다루는 용어나 사건 이름 등이 낯설어 책을 보지 않고는 떠올리기 어려울 수도 있어요. 그렇게 내가 힘들어하는 이유가 무엇인지 스스로 찾아낸 후 하나하나 해결해 간다면 한국사 공부를 통해 공부법 훈련까지 일거양득도 가능합니다.

만약 빈칸 채우기가 너무 어려워 책을 덮고 싶어지면 일단 밑줄 치며 읽은 다음 정답의 도움을 받아 빈칸을 채우고 다시 읽으며 내용을 되새겨 보는 것도 괜찮습니다. 밑줄 긋기부터 힘들다면 정답을 보고 빈칸을 채운 다음, 그 내용에 해당하는 본문에 밑줄을 그어보는, 거꾸로 활동으로 시작하는 것도 좋아요. 물론 정답의 도움을 받은 후에 다시 한번 읽어 보기를 잊지 말아야 스스로 해결할 수 있는 시간도 빨리 옵니다.

어느 것이든 자신에게 맞는 방법을 활용해 각 장 내용을 다 읽고 나면 읽기 과정의 마무리 활동이 기다립니다.

3. 1장에서 다루는 선사 문화와 고조선에 대한 역사 중 시기별 특징을 생각나는 대로 써 보자.

🖋️ 구석기 시대:

🖋️ 신석기 시대:

🖋️ 청동기 시대:

　1장의 독후 활동은 1장에서 다루는 선사 시대를 각 시기별로 특징을 정리하는 것입니다. 이와 같은 독후 활동을 통해 전체 장을 자신의 말로 정리하거나 기억하면 좋겠습니다. 이렇게 하면 가장 지루하고 에너지를 많이 써야 하는 1단계 활동이 끝이 납니다. 한국사 해당 내용과 그만큼 친해진 것은 말할 것도 없지요.

한눈에 보기

💡 1장 내용을 한눈에 정리해 보자.

🅑 한반도의 선사 시대

1. 빈칸을 채우며 한반도 선사 시대의 의식주와 도구 변화를 정리해 보자.

	구석기 시대	신석기 시대	청동기 시대
시작 시기	㉠(　　　　)년 전	㉡(　　　　)년 전	㉢기원전 (　　　　)년경~ 기원전 1500년
의 식 주	• 채집, 수렵	• ㉣(　　　　), 뼈바늘 　활용하여 옷 만듦. • 장신구: 조개껍데기나 동 　물 뼈로 만들어 치장함. • 채집, 수렵 • ㉤(　　　) 시작 잡곡 　재배 • 빗살무늬 토기 사용 • 개, 돼지, 소, 양 등 가축 기 　르기 시작	• 장신구: 청동으로 만들어 　지배 계급이 사용 • 벼농사 시작, 농업 생산량 　증가 • 민무늬 토기 주로 사용
	• 동굴, 강가에 막집 지음.	• 바닷가나 강가, 움집 지음.	• 지상에 직사각형 형태 집 　지음.
도구	• 뗀석기 사용 　– 초기: 찍개, ㉥(　　) 　등 단순한 도구 　– 후기: 긁개, 밀개, 슴베찌 　르개 등 정교한 도구	• 간석기 사용 　– 괭이, 돌낫, 갈돌과 갈판	• 청동 도구 사용 　– ㉦(　　　)와 ㉧(　　　) 　섞어 장신구, 무기 등 제작 • 농기구는 돌이나 나무로 　만듦, 이삭 따는 ㉨(　　　) 　사용

　2단계 활동은 각 장 내용을 도표와 도식 등을 통해 분류·구조화하여 정리하는 것입
니다. 비주얼씽킹이나 유명 노트 정리법에서 강조하는 것처럼, 다양한 정보를 도식화

하여 저장하면 더 오래 기억에 남고 정보의 인출도 쉬워집니다. 줄글로 펼쳐진《한 번에 끝내는 중학 한국사》의 본문이 어떤 방식으로 정리되는지를 생각하며 활동을 수행해 간다면 역사 외에 다른 과목을 스스로 공부하고 필기할 때에도 도움이 될 거예요.

3단계 - 역사 논술

역사 논술

1. 나라 이름도 없고, 뚜렷한 역사적 사건도 없었던 구석기 시대와 신석기 시대의 유물과 유적을 발견하는 일이 왜 중요할까?

> 문자도 없던 때의 일은 어떻게 알 수 있을까?

> 그런 까마득한 옛날 일을 알아야 할 필요가 있을까?

그 시대에 꼭 알아야 할 내용을 문장으로 정리할 수 있도록 만든 문제들입니다. 학교 서술형 시험에서 단골로 출제되는 문제와 역사적인 주요 사안에 대한 여러분의 생각을 근거를 들어 조리 있게 펼쳐 볼 수 있는 문제들이 제시되어 있습니다. 한 번에 답이 떠오르지 않는다고 해도 책과 워크북의 내용을 다시 살펴보고 문장을 직접 손으로 써 보면 더 오래 기억에 남을 거예요.

📄 실력 키우기

01. 다음의 밑줄 친 장소에 해당하는 곳은?

구석기 시대 유물의 대표 격으로 아시아권에서는 주로 찍개가, 서양에서는 주먹도끼가 발견되었어요. 하지만 이곳에서 주먹도끼가 발견되면서 새로운 논의가 시작되었지요.

① 황해도 봉산군 지탑리   ② 부산시 동삼동

③ 울산시 울주군 반구대   ④ 강화도 참성단

⑤ 경기도 연천군 전곡리

3단계 〈역사 논술〉까지 모두 풀어 본다면 어떨 것 같아요? 해당 부분이 머릿속에 굳건히 자리 잡았을 것 같지 않나요? 정말 그런지 확인하는 과정이 4단계입니다.

단계별로 학습한 내용을 잘 기억하고 있는지, 종합적으로 사고할 수 있는지 점검하는 과정이지요. 내용을 다시 찾지 않고 스스로 해결해 냈다면 손을 들어 자신의 머리를 쓰다듬어 주세요. "잘했어!" 하면서요. 단계별로 꼼꼼히 읽고 문제를 해결해 왔다면 매 장마다 자신을 칭찬하게 될 거예요. 그렇게 한 장, 한 장 읽으며 한국사 실력을 쌓아 가세요.

학교 내신 시험을 준비한다면, 4단계를 기준 삼아 풀어 보고 평가문제집 등을 활용해 다양한 유형과 단원 간 연계 문제를 풀어 보는 것이 좋아요.

마지막으로, 4단계와 같은 객관식 문제를 풀면서 공부할 때는 틀린 선지의 어느 부분이 틀렸는지 찾고 바르게 고치는 과정을 꼭 거치길 바랍니다. 이 방법만 꼬박꼬박 실천해도 대부분의 공부에서 큰 도움을 얻을 수 있답니다.

워크북 활동을 함께하는 선생님이나 부모님은 이렇게 도와주세요

〈1단계〉 읽기 전 활동으로는 해당 부분과 관련하여 학생들이 알고 있거나 궁금해하는 내용을 중심으로 흥미를 유발해 주시면 좋습니다. 읽기 중 활동인 '밑줄 치며 읽기'와 '빈칸 채우기'는 처음 한두 차시 정도는 함께 연습해 보는 것도 좋습니다. '정리하기'는 각 장별로 제시된 활동이 다릅니다. 질문에 어울리는 활동을 수행한 후 발표하는 시간을 갖는다면 복습 활동이 되어 읽은 내용이 단기기억에서 장기기억으로 넘어가는 데에도 도움이 됩니다.

〈2단계〉 활동은 각 장의 주요 어휘들을 중심으로 정보를 도식화한 단계이므로, 수행을 어려워하는 경우에는 1단계의 '빈칸 채우기' 활동이나 책 본문을 다시 펼쳐 보며 관련 내용이 익숙해지도록 합니다.

〈3단계〉 서술형 문제와 〈4단계〉 선다형 문제는 최신 개정 교과서에서 중요하게 다루고 있는 학습 목표를 중심으로 출제하였습니다. 쉽게 답이 생각나지 않더라도 끝까지 스스로 풀어 본 뒤에 정답을 확인할 수 있도록 지도해 주세요. 학교 내신 대비를 위해서는 본 교재 활동에 그치지 말고 평가문제집 등을 활용하여 보다 다양한 유형의 문제, 단원 간 내용이 종합된 문제를 풀게 할 것을 추천합니다.

목차
Contents

선사 문화와 고대 국가의 형성

: 우리 민족의 뿌리를 찾다

I
Part

선사 문화와 고조선

📖 최초의 국가를 세우다

책을 읽기 전에

🌏 1장 본문을 통해 알아 두어야 할 내용이 무엇인지 생각하며 다음 내용을 읽어 보자.

- 만주와 한반도의 선사 시대 문화에 대해 이야기해 보세요.
- 청동기 시대에 나타난 변화에 대해 설명해 보세요.
- 단군 신화에 숨겨진 역사적 사실은 무엇일까요?
- 8조 법과 자료를 통해 고조선 사회의 모습과 특징을 설명해 보세요.

책을 읽으며

1. 만주와 한반도의 선사 문화와 고조선 역사를 읽으며 중요하다고 생각하는 내용에 밑줄 쳐 보자.

2. 부분별로 읽은 내용을 생각하며 빈칸을 채워 보자.

   🅱 매머드 화석이 한반도에서 발견된 까닭은?: 만주와 한반도의 구석기 시대

   1) 충청북도 단양군에 있는 (   ) 유적은 우리나라에서 가장 오래된 구석기 시대 유적인데, (   )년 전의 것으로 나타났다.

   2) 만주와 한반도의 구석기인들도 지구촌 다른 곳과 마찬가지로 동굴이나 강가에 (   )을 지어 살았고, 사냥과 채집을 하며 (   )생활을 했다.

3) 구석기인들이 사용한 도구는 초기에는 찍개와 주먹도끼처럼 단순한 (   )
였지만, 긁개나 밀개, 슴베찌르개처럼 점점 정교해졌다.

4) 빙하기와 간빙기가 반복되던 당시 (   )과 한반도, (   )이 연
결되어 있었다. 지금과 같은 땅덩어리 모양이 된 것은 1만 2000년 전 빙하기가 끝
나면서였다.

5) 충북 청원군 두루봉 (   )에서는 완벽한 형태를 갖춘 호모 사피엔스의 뼈
가 발굴되었는데, 이를 (   )라고 부른다.

6) 충청남도 공주시 석장리 집터 유적에서는 (   )을 땐 흔적이 발견되었는데,
당시에 이미 화덕을 사용한 사실을 알 수 있다.

7) 경기도 연천군 전곡리에서 발견된 (   )는 찍개가 주로 발견되
던 아시아권에서는 볼 수 없던 유형으로, 주로 서양의 것과 같은 것이다.

8) 만주와 한반도의 구석기 유적지에서는 예술품도 출토되었는데, 고래와 물고기가
새겨진 조각, 사람의 얼굴이 새겨진 동물 뼈가 발견된 것은 (   )의 성공
을 기원하며 만든 것으로 짐작된다.

🅑 탄화된 좁쌀은 무엇을 의미할까?: 만주와 한반도의 신석기 시대

1) 지구촌 여러 지역에서 신석기 시대가 시작된 것은 (   )년 전이다.

2) 신석기 시대 도구는 구석기 시대보다 더욱 뾰족해지고 정교해졌으며, 돌을 갈아 만
든 (   )라 불렸다. 돌화살촉, 돌창, 돌도끼, 돌괭이 등이 대표적이다.

3) 신석기인들은 처음에는 바닷가나 강가에 살면서 채집과 수렵을 통해 식량을 확보
했지만, 그 후 곡물을 재배하면서 (   ) 생활을 했고, 개, 돼지, 소, 양 같
은 (   )을 기르기 시작했다.

4) 돌괭이, 동물 뼈 괭이, 돌낫 등으로 곡식을 수확했고, 갈돌과 갈판으로 곡식의 껍질을 벗겼다. 식량을 보관하고 음식을 조리하는 그릇은 흙으로 만든 (   ) 토기를 썼다.

5) 서울 강동구 암사동의 집터 유적을 보면 신석기인들이 (   )을 짓고 살았다는 것을 알 수 있다.

6) 실을 뽑을 때 사용하는 도구인 (   )는 당시 사람들이 실제로 옷을 만들어 입었다는 증거가 된다.

7) 황해도 봉산군 지탑리 유적 등 여러 곳에서 불에 탄 (   )이 발굴되었다는 점에서 한반도에서도 신석기 때부터 농경이 시작되었다는 것을 알 수 있다.

ⓑ 거대한 고인돌을 왜 만들었을까?: 만주와 한반도의 청동기 시대

1) 만주와 한반도의 (   ) 시대는 기원전 2000년경에서 기원전 1500년경 사이에 시작되었다.

2) 청동은 (   )와 (   )을 섞어 만드는데, 재료 구하기나 청동기를 만드는 과정이 모두 어려워, 주로 (   ) 계급의 장신구, 제사도구, 장수의 무기 같은 것을 만들었다.

3) 만주와 한반도에서는 손잡이를 따로 만들어서 칼자루에 끼우는 형태의 (   ) 동검을 주로 썼다. (   )의 청동기와 모양이 다른 것은 서로 다른 계통에 속해 있다는 뜻이다.

4) 청동기 시대 때 처음 사용된 대표적인 농기구로는 곡식의 이삭을 따는 (   )이 있으며, 신석기 시대의 농기구보다 훨씬 정교해졌다.

5) 신석기 시대에는 조, 피, 수수, 콩, 보리와 같은 잡곡을 재배했으며, 청동기 시대에는 (   )을 재배하며 (   )가 시작되었다.

6) 청동기 시대는 농업 생산량이 매우 증가했으며, 곡식을 저장하는 토기로는 주로 무늬가 없고 밑바닥이 납작한 (   )토기가 사용되었다.

7) 땅을 얕게 파서 집을 짓던 신석기 시대와 달리 청동기 시대에는 지상에 (   ) 형태로 집을 지었다.

8) 예전에는 모든 사회가 평등했지만 청동기 시대에는 주로 남자들이 다른 부족과 (   )을 치렀다. 그로 인해 모계 중심 사회에서 (   ) 중심 사회로 바뀌었다.

9) 소수에게 권력이 집중되며 경제적·정치적 격차가 벌어졌는데, 지배하는 사람과 지배당하는 사람, 즉 지배 계급과 피지배 계급이 나뉘며 (   )사회가 되었다.

10) 권력을 잡고 부족을 이끄는 족장인 (   )은 정치와 종교를 모두 장악했으며, 청동 거울이나 청동 방울을 사용하며 권위를 부각시켰다. 이처럼 정치와 종교를 한 명의 지배자가 맡는 것을 (   )라 한다.

11) 만주와 한반도에서 많이 볼 수 있는 (   )은 주로 지배 계급의 무덤이다. 강화를 비롯한 북한, 랴오둥 지방에 (   ) 고인돌이 많으며, 한반도 남부 지방에서는 바둑판식 고인돌을 많이 볼 수 있다.

12) 울산 울주군 대곡리 (   )는 고래, 사슴, 호랑이 등 300여 개의 동물과 기하학적 무늬가 새겨진 (   )로, 당시 사람들은 농사, 사냥, 고기잡이를 하면서 풍성한 수확을 기대한 것으로 짐작된다.

🅑 고조선은 기원전 2333년에 건국되었을까?: 고조선의 성립

1) 만주와 한반도에서 청동기 문화가 발전할 무렵, 만주의 랴오닝성 일대에 군장이 통치하는 여러 부족이 경쟁하며 성장하는 과정에서 (   )이 탄생했다.

2) (   ) 동검, 미송리식 토기, (   ) 고인돌, 청동 방울, 거친무늬 거울 등이 만주 지방과 한반도 일대에서 골고루 발견되는 것으로 만주의 여러 지역을 정복하고, 한반도 북서지방까지 진출했다는 것을 짐작할 수 있다.

3) 후기로 가면서 몸통 부분이 가느다란 (   ) 동검, 잔무늬 거울이 한반도 지역에서만 발견되고 만주 지방에서 잘 발견되지 않는다는 사실은 당시 고조선의 영역이 (   )로 옮겨졌다는 것을 보여 준다.

4) 《동국통감》의 기록에 따르면, 고조선은 기원전 (   )에 건국되었으며, 고조선의 건국 신화인 단군 신화를 기록한 첫 역사서는 (《   》)이다.

5) 하늘의 신 환인의 아들 환웅은 인간 세계로 내려와 통치하고, 웅녀와 결혼해 아들 (   )을 낳았다. 그 후 (   )에 도읍을 두고, 고조선을 건국했다.

6) '인간을 이롭게 한다'는 (   )의 건국이념으로 바람, 비, 구름을 다스리는 신을 데려왔다는 것은 (   ) 사회였다는 사실과 고조선을 세운 세력이 하늘을 숭상하며 다른 부족보다 우월하다는 (   )사상을 가졌다는 뜻이다.

🅑 위만은 어느 나라 사람이었을까?: 고조선의 성장과 멸망

1) 고조선은 기원전 5세기경 (   ) 문화를 받아들인 후 빠르게 성장했으며, 기원전 4세기경에는 지배자를 (   )이라 칭했고, 이 무렵부터 왕위를 세습했을 것으로 추정된다.

2) 연에 살던 (   )이 1,000여 명의 무리를 이끌고 와 국경 수비를 맡다가 이후 준왕을 몰아내고 왕위에 올랐다.

3) 위만 왕조 이후 고조선은 철제 무기로 무장해 주변 지역을 정복하고 한반도 남부의 여러 나라와 중국 한나라 사이에서 (   )으로 경제적 번성을 이뤘다.

4) 고조선의 지배자들은 사회 질서를 유지하기 위해 (   )개 조항으로 된 법을 만들었는데, 오늘날에는 3개 조항만 전해진다.

5) 8조법 중 사람을 죽이면 사형에 처한다는 사실에서 (   )을 중요하게 여겼다는 것을 알 수 있고, 곡식으로 변상한다는 점에서 (   ) 사회였음을 알 수 있다. 또한 노비가 있었던 것으로 보아 (   )이 존재했다는 사실도 알 수 있다.

6) 기원전 2세기 중반 황제에 등극한 (   ) 무제의 침략에 고조선이 1년간 저항했지만, 지배층의 분열로 (   )이 함락되면서 멸망했다.

3. 1장에서 다루는 선사 문화와 고조선에 대한 역사 중 시기별 특징을 생각나는 대로 써 보자.

🅑 구석기 시대:

🅑 신석기 시대:

🅑 청동기 시대:

🅑 고조선:

🌏 1장 내용을 한눈에 정리해 보자.

🔁 한반도의 선사 시대

1. 빈칸을 채우며 한반도 선사 시대의 의식주와 도구 변화를 정리해 보자.

	구석기 시대	신석기 시대	청동기 시대
시작 시기	⊙( )년 전	ⓒ( )년 전	ⓒ 기원전 ( )년경~ 기원전 1500년
의식주		• ⓔ( ), 뼈바늘 활용하여 옷 만듦. • 장신구: 조개껍데기나 동물 뼈로 만들어 치장함.	• 장신구: 청동으로 만들어 지배 계급이 사용
	• 채집, 수렵	• 채집, 수렵 • ⑩( ) 시작 잡곡 재배 • 빗살무늬 토기 사용 • 개, 돼지, 소, 양 등 가축 기르기 시작	• 벼농사 시작, 농업 생산량 증가 • 민무늬 토기 주로 사용
	• 동굴, 강가에 막집 지음.	• 바닷가나 강가, 움집 지음.	• 지상에 직사각형 형태 집 지음.
도구	• 뗀석기 사용 – 초기: 찍개, ⑭( ) 등 단순한 도구 – 후기: 긁개, 밀개, 슴베찌르개 등 정교한 도구	• 간석기 사용 – 괭이, 돌낫, 갈돌과 갈판	• 청동 도구 사용 – ⊗( )와 ⊙( ) 섞어 장신구, 무기 등 제작 • 농기구는 돌이나 나무로 만듦, 이삭 따는 ㉧( ) 사용

2. 빈칸을 채우며 한반도 선사 시대의 종교, 예술, 사회 문화에 대해 정리해 보자.

	구석기 시대	신석기 시대	청동기 시대
종교 예술	• 만주 한반도 유적지에서 예술품 출토됨. – ㉠( ) 성공을 기원하며 제작한 예술품	• 원시 ㉡( ) 등장 – 흙으로 빚은 가면 제작	• 정치와 종교 모두 장악한 군장이 하늘에 제사 지냄.
사회 제도	• 모계 중심 사회 • 평등 사회		• ㉢( ) 중심 사회 • 계급 사회 – 지배·피지배 계급 구분 – 제정일치 사회: 군장이 정치, 종교 장악 – ㉣( ): 지배 계급 무덤 제작

3. 〈보기〉를 활용하여 시기별 대표 유적지와 유물을 알아보자.

구석기 시대	• 충청북도 단양군 금굴 유적: 우리나라 가장 오래된 구석기 유적 • 평양 대현동: ㉠( ) 역포 아이 화석 발굴 • 연천군 전곡리: 서양의 것과 같은 ㉡( ) 발견
신석기 시대	• 제주도 한경면 고산리 유적: 한반도에서 가장 오래된 신석기 유적 • 황해도 봉산군 지탑리 유적: 불에 탄 ㉢( ) 발굴
청동기 시대	• 강화, 북한, 랴오둥 지방: 탁자식 고인돌 유적 많음. • 한반도 남부 지방: 바둑판식 고인돌 유적 많음. • 울산 울주군 대곡리 ㉣( ): 고래, 사슴 등 300여 동물, 기학학적 무늬 새겨진 바위

> 보기
>
> • 잡곡 • 반구대 • 주먹도끼 • 동굴

🅑 고조선, 건국부터 멸망까지

4. 빈칸을 채우며 우리 민족 최초의 국가인 고조선의 역사를 정리해 보자.

건국	• 만주 랴오닝성 일대 여러 부족이 경쟁하며 성장하는 과정에서 탄생 • ㉠( )년 건국 (《동국통감》 기록) • 단군 신화 (《삼국유사》, 《제왕운기》 등 기록): ㉡( ) 이념, 농업 사회, 선민사상, 하늘 숭상, 토템 신앙, 제정일치 국가 등 고조선 관련 사실 알려줌.
영토	• 세력을 키워 만주 여러 지역 정복 후 한반도 북서 지방까지 진출 • 점점 한반도에 더 근접하여 후기에는 한반도로 영역 옮김. • 연과 전쟁에 패해 요동 지방을 잃고 왕검성으로 수도 이전 추정됨. • 초기의 ㉢( ) 동검, 미송리식 토기, ㉣( )식 고인돌, 청동 방울, 거친무늬 거울, 후기의 세형 동검 발굴 지역으로 세력 범위 확인
성장	• 기원전 5세기경 철기 문화 받아들인 후 빠르게 성장함. • 기원전 4세기경 지배자를 왕이라 칭함. 왕위 세습 추정됨.
위만 조선	• 위만: 중국 연에서 무리를 이끌고 고조선에 들어와 국경 수비를 맡음. 이후 준왕 몰아내고 고조선의 왕위에 오름. • 철기 문화 확산, 주변 지역 정복, 고조선의 강성기 유지함. • ㉤( )으로 경제 번성: 중국의 한과 한반도 남부 사이 중계 무역
㉥( )	• 8개 조항 중 3개 조항만 전해짐. • 고조선 사회의 특징 파악할 수 있음. 생명 존중, 농업 사회, 화폐 사용, 계급 존재
멸망	• 한의 침략에 1년간 저항했지만 지배층 분열로 왕검성 함락되며 멸망 • 한의 군현 설치: 고조선 유민들의 저항으로 낙랑군 제외 점차 소멸됨.

구석기 시대 모습은 지구촌 다른 곳이나 만주·한반도가 크게 다르지 않았다. 고조선이 발전 속도를 높이던 기원전 10세기경 중국은 춘추 전국 시대의 혼란기였으며, 춘추 전국 시대를 끝내고 통일한 나라는 진이었다.

1. 나라 이름도 없고, 뚜렷한 역사적 사건도 없었던 구석기 시대와 신석기 시대의
   유물과 유적을 발견하는 일이 왜 중요할지 생각해 보자.

문자도 없던 때의 일은 어떻게
알 수 있을까?

그런 까마득한 옛날 일을 알아야
할 필요가 있을까?

2. 중국과 한반도/만주 일대에서 발견되는 청동 검의
   모양과 주조 방식의 차이를 설명하고, 이를 통해
   알 수 있는 점을 말해 보자.

▲ 고조선 동검   ▲ 중국 동검

3. 고조선 8조법을 통해 고조선의 사회 모습을 짐작해 보자.

(1) 사람을 죽이면 사형에 처한다.

⇒ _____

(2) 다른 사람에게 상해를 입히면 곡식으로 죄를 갚는다.

⇒ _____

(3) 도둑질하면 노비로 삼되, 노비가 되지 않으려면 50만 전을 낸다.

⇒ ① _____ ② _____

01. 다음의 밑줄 친 장소에 해당하는 곳은?

> 구석기 시대 유물의 대표 격으로 아시아권에서는 주로 찍개가, 서양에서는 주먹
> 도끼가 발견되었어요. 하지만 <u>이곳</u>에서 주먹도끼가 발견되면서 새로운 논의가 시
> 작되었지요.

① 황해도 봉산군 지탑리   ② 부산시 동삼동

③ 울산시 울주군 반구대   ④ 강화도 참성단

⑤ 경기도 연천군 전곡리

02. 왼쪽 사진 속 유물이 발견되었을 당시 사회 모습으로 옳지 <u>않은</u> 것은?

> 사람들이 모여 살고 정착해서 살았기 때문에 집을 지어야 했어요. ①<u>야생 동물을
> 잡아다 집에서 기르기 시작한 것</u>도 바로 이때랍니다. ②<u>농사를 짓고 수확할 때는
> 반달 돌칼을 이용했어요.</u> 하지만 ③<u>동물을 사냥하거나 열매를 따 먹는 것</u>은 여전
> 히 계속되었어요. ④<u>가락바퀴로 실을 뽑아 옷을 만들어 입었고</u> ⑤<u>원시 신앙이 있
> 었던 것으로 추정돼요.</u>

03. 다음은 인류의 생활 모습이 변화하는 과정 중 일부이다. (가) 시기에 들어갈 내용으로 바른 것은?

정착 생활을 시작했다.	(가)	계급이 형성되었다.

① 부계 사회에서 모계 사회로 바뀌었다.
② 청동을 이용한 농기구 사용으로 생산량이 늘었다.
③ 주로 수렵, 채집에 의존해 먹을 것을 구했다.
④ 이 시기의 고조선 유물에는 세형 동검과 잔무늬 거울이 있다.
⑤ 잉여 생산물로 인해 다양한 직업이 나타났다.

04. 다음 중 고조선에 대한 설명으로 옳지 <u>않은</u> 것은?

① 환웅이 천부인을 가지고 내려왔다는 것에서 고조선 사람들의 선민의식을 엿볼 수 있다.
② 곰과 호랑이를 숭배하는 토템 신앙이 있었다.
③ 중국이 춘추전국 시대에 돌입하며 고조선과 중국 사이의 교역은 끊어졌다.
④ 철기 문화를 받아들이고 중국과 삼한 사이의 중계 무역을 하며 세력을 키웠다.
⑤ 한 무제의 공격을 1년간 버텨냈지만, 내부 분열까지 더해져 결국 멸망했다.

책을 읽기 전에

🌐 다음 2장에 대한 안내를 참고하여 1장과 비교해 역사적으로 어떤 변화가 있는지 생각해 보자.

- 철기를 사용한 이후 달라진 문화를 설명해 보세요.
- 부여와 고구려의 풍속을 비교해 설명해 보세요.
- 옥저와 동예의 성장 과정과 풍속을 이야기해 보세요.
- 삼한의 성장과 풍속에 관해 이야기해 보세요.

책을 읽으며

1. 철기 문화를 바탕으로 만주와 한반도에 생겨난 나라들에 대해 읽으며 중요하다고 생각하는 내용에 밑줄 쳐 보자.

2. 부분별로 읽은 내용을 생각하며 빈칸을 채워 보자.

　🅑 항아리 두 개로 만든 무덤을 뭐라 부를까?: 만주와 한반도의 철기 문화

　1) 기원전 1세기경 철기가 널리 사용되었으며, 만주와 한반도 전역이 (　　　) 문화
　　 권이 되었다.

2) 철기 시대에도 여전히 제사나 각종 의식에 쓰이는 도구는 청동으로 만들었으며, 비파형 동검보다 가늘고 따로 손잡이가 있는 (   ) 동검이 한반도 전역에서 사용되었다.

3) 평안북도 위원에서는 명도전이라는 (   )가 발굴되었는데, 이는 (   )과 교류했다는 증거이다.

4) 경남 창원 유적에서는 붓이 발굴되었는데, 당시에 붓으로 (   )를 쓰기 시작했다는 뜻이다.

5) 경남 창원 유적에서는 두 종류의 무덤이 나왔는데, 나무 관으로 만든 (   )무덤과 항아리 두 개를 붙여서 만든 (   )무덤이다.

Ⓑ 제천과 동맹은 무슨 행사일까?: 만주 지역 부여와 고구려의 성장

〈부여〉

1) 부여는 고조선 이후 가장 먼저 등장한 나라로 쑹화강 유역에서 태동했으며, 평야와 초원 지대가 많아 (   )농사를 하거나 (   )을 하는 부족들이 기원전 3세기경부터 연합해 (   ) 국가를 건설했다고 짐작된다.

2) 여러 부족 중 가장 강한 부족의 (   )이 왕에 올랐지만 권력은 강하지 않았으며, 마가, 우가, 저가, 구가의 각 부족 군장이 부족을 다스리는 마을인 (   ) 가 있었다.

3) 지배층과 피지배층의 구분이 엄격했으며, 사람을 죽이면 사형에 처했고, 도둑질하면 훔친 물건값의 12배를 배상하도록 하는 (   )이라는 강력한 법이 있었다.

4) 왕이나 족장이 죽으면 노비를 함께 묻는 (   ), 그가 쓰던 물건을 함께 묻는 껴
   묻거리 풍습이 있었다.

5) 12월에는 수확을 축하하고, 내년의 풍년을 기원하는 (   )라는 제천 행사가 있
   었으며, 5세기 후반 (   )에 의해 멸망했다.

〈고구려〉

6) 고구려는 압록강 중류의 토착민 세력과 (   ) 계통의 이주민에 의해 탄생했으
   며, (   )이 설치한 군현과 싸우며 성장했다.

7) 고구려가 세워진 땅은 척박한 산간 지역으로, (   ) 전쟁을 통해 주변 나라들
   을 흡수하며 영토를 넓히고 (   )와 (   )를 속국으로 만들었다.

8) 10월에 (   )이라는 제천 행사가 있었으며, 결혼한 후 신랑이 신부의 집에서
   살다가 자식이 성장하면 신랑의 집으로 돌아가는 (   )가 있었다.

🅑 소도에 죄인이 들어가면 못 잡는 이유는?: 한반도의 옥저, 동예, 삼한의 발전

1) 함경도 동해안의 (   )는 토지가 비옥하고 해안가에 있어 농업과 어업 모두 발
   달했지만, 고구려의 속국으로 소금과 어물을 바쳐야 했다.

2) 옥저에서는 신부가 될 여성이 신랑 될 사람 집에서 살다 성인이 되면 결혼하는
   (   )제가 있었으며, (   )이라는 가족 공동 무덤이 유행했다.

3) 토지가 비옥하고 해산물이 풍부했던 (   )는 단궁, 과하마, 반어피가 유명했다.

4) 동예의 결혼 풍속으로는 고구려, 옥저와 달리 같은 씨족끼리는 절대 결혼하지 않
   는 (   )이 있었고, 다른 부족이나 읍락을 침범해 손해를 끼치게 하면 소나
   말, 노비로 보상하는 (   )라는 풍습이 있었다.

5) 한반도 남부지방에 세워진 마한, 진한, 변한을 아울러 (   )이라 부르며, 소국마다 신지, 읍차라 부르는 (   )이 독자적으로 나라를 다스렸다.

6) 삼한은 정치와 종교가 분리되어 종교를 관장하는 지배자인 (   )이 다스리는 지역인 (   )는 군장의 영향력이 미치지 못했다.

7) 삼한에서는 철제 농기구를 사용해 농사를 지었으며, (   )농사가 크게 발달했다. 그래서 제천 행사도 5월과 10월 두 번 열렸다.

8) 변한은 (   )이 풍부하여 이것을 화폐처럼 쓰거나 (   )과 낙랑에 수출했다.

3. 나라별로 중요한 특징을 찾아 메모하고 기억해 두자.

🖊 부여

🖊 고구려

🖊 옥저

🖊 동예

🖊 삼한

💡 2장 내용을 한눈에 정리해 보자.

🔖 철기 문화, 무엇이 달라졌나?

1. 빈칸을 채우며 청동기와 비교한 철기의 특징과 당시 사회에 미친 영향을 알아보자.

청동기와 비교해 철기는 여러 점에서 우수했다.

청동기는 완전히 사라지지 않고 ㉠( )나 각종 의식에 도구로 쓰였다.	철은 매장량이 풍부해서 쉽게 얻을 수 있고, 만드는 과정도 훨씬 쉽다.	철은 청동기보다 더 ㉡( )해서 튼튼한 농기구와 무기를 만들 수 있다.

튼튼한 농기구 덕분에 농업 생산력이 늘어났다.	파괴력이 뛰어난 무기 덕분에 군사력도 강해졌다.

여러 지역에서 ㉢( )이 일어났다.

2. 다음 유적이 알려 주는 한반도 철기 시대에 대한 내용을 완성해 보자.

평안북도 위원 유적에서 명도전이라는 중국 화폐가 발굴됨.	㉠( )과 교류했다는 사실을 알려줌.
경남 창원 유적에서 붓이 발굴됨.	붓으로 ㉡( )를 썼다는 사실을 알려줌.
경남 창원 유적에서 무덤이 발견됨. – 나무 관으로 만든 널무덤 – 항아리 두 개를 붙여 만든 독무덤	무덤 형태가 두 종류라는 사실을 알려줌. – 독무덤은 철기 시대에 많이 만들어짐.

🅑 철기 문화를 바탕으로 만주와 한반도에 생겨난 나라들

3. 분야별로 내용을 채우며 만주 지역에 세워진 부여와 고구려에 대해 정리해 보자.

부여

고구려

부여	분야	고구려
• 고조선 이후 국가 중 가장 먼저 등장함. • 주변 부족들이 연합하기 시작함.	건국	• 기원전 37년, 토착민과 부여 계통 이주민이 힘을 합쳐 탄생함. • 한이 설치한 낙랑군과 싸우며 성장함.
• 쑹화강 유역 평야 지대에서 태동함.	위치	• 압록강 중류 산간 지역에 세워짐. • 주변 작은 나라들을 흡수하며 영토 확장함.
• 기원전 3세기경부터 부족들 연합하여 건설된 ㉠(　　　) 국가 　– 왕의 권력 강하지 않음.	국가 형태	• 5개 부족이 모인 ㉡(　　　) 왕국
• ㉢(　　　　): 마가, 우가, 저가, 구가 　– 각 부족 군장이 다스리는 마을 • 강한 부족 군장이 왕이 됨. • 피지배층: 하호(평민)과 노비 • 1책 12법: 엄격한 법	사회 제도	• 왕 밑으로 상가와 대가 등의 군장이 있음. • ㉣(　　　)와 ㉤(　　　)를 속국으로 삼음. • 전쟁이 잦아 무예를 숭상하고 무인을 대우하는 분위기 강함.
• 순장, 껴묻거리 풍습 • 형사취수 풍습: 형이 죽으면 동생이 형수를 아내로 삼아 부양함.	풍습	• 부여와 풍습이 상당히 비슷함.: 지배층 대부분 부여 출신 • ㉥(　　　　): 신부의 집 노동력 보상을 위한 제도
• ㉦(　　　): 12월	제전 행사	• ㉧(　　　): 10월
• 5세기 후반 ㉨(　　　　)에 병합됨.	멸망	• 668년 나당 연합군에 의해 멸망함.

4. 철기 문화를 바탕으로 한반도 내부에서 성장한 나라들을 알아보자.

	㉠ ( )	㉡ ( )	㉢ ( )
위치	• 함경도 동해안(함흥 일대)	• 강원도 북부 동해안	• 한반도 남부 지방 • 삼한: 마한, 진한, 변한을 아울러 부르는 명칭
제도 풍습	• ㉣ ( ): 신부 될 여성이 신랑 될 사람 집에서 살다 성인 되면 결혼하는 제도 • 세골장: 가족 공동 무덤	• ㉤ ( ): 다른 씨족과만 결혼함. • 책화: 다른 부족이나 읍락 침범해 손해 끼칠 경우 소나 말, 노비로 보상함.	• 정치와 종교 분리됨. 　– 종교 지배자: ㉥ ( ) 　(소도를 다스림) • 반움집이나 귀틀집에서 삶.
특이 사항	• 농업과 어업 모두 발달함. • 고구려의 속국이 되어 소금과 어물을 바침. • 더 이상 발전하지 못함.	• 토지 비옥하고 해산물, 특산물 풍부함. 　– 단궁, 과하마, 반어피 유명함. • 제천 행사: 무천(10월)	• 철제 농기구 사용 농사지음, 저수지 만듦. 　– ㉦ ( ) 크게 발달함. • 제천 행사: 5월, 10월 • 변한: 철이 풍부해 화폐처럼 쓰고, 일본, 낙랑으로 수출함.
	• 부여와 고구려에 비해 발전이 더뎠음. 　– 한반도 북동쪽에 치우친 위치, 왕 없이 군장이 읍락 다스리는 군장 국가 수준에서 멸망함. • ㉧ ( )의 속국으로 간섭을 받음.		• 수십 개의 소국을 ㉨ ( ) 　(신지, 읍차)이 독자적으로 다스림. • 목지국(마한의 소국 중 하나)이 삼한 전체를 대표하는 왕의 역할을 함. • 마한은 백제, 진한은 신라, 변한은 가야로 발전함.

그 당시 세계는?

기원전 6세기경 인도에서는 고타마 싯다르타가 불교를 창시해 인도 여러 지역으로 퍼져나갔다. 부여, 고구려와 같은 연맹 국가들이 한반도에 자리 잡을 무렵, 팔레스타인 지역에서 등장한 예수의 가르침에 따라 크리스트교가 성립되어 박해를 받다, 313년 로마 제국의 국교로 인정받으며 세계 종교로 성장했다.

1. 다음 글을 읽고 고구려가 건국된 후 부여와 고구려의 관계가 어떠했을지 짐작해
보자.

> 부여의 왕 금와는 유화 부인을 데려와 궁에 살게 했다. 유화 부인은 이미 임신 중
> 이었는데 산달이 되자 알을 낳았다. 알에서 태어난 주몽은 특히 활을 잘 쏘고 영
> 특하여 금와왕의 총애를 받았지만, 금와왕의 아들 대소 왕자가 그를 시기하여 죽
> 이려 하였다. 주몽은 부여를 도망쳐 나와 졸본에 정착하여 고조선의 유민들을 규
> 합하여 새로운 나라를 세웠으니, 그 나라가 고구려이다.

문화적인 면과 정치적인 면으로 나눠서 생각해 봐.

2. '부족 연맹 국가'의 뜻을 생각하며, 부여, 고구려, 삼한 등 당시 왕국들의 왕권이
약했던 이유를 짐작해 보자.

01. 지도에서 나타내는 시기에 대한 설명으로 옳지 <u>않은</u> 것은?

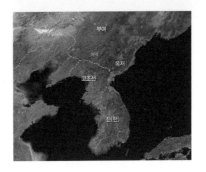

① 철기가 보급되어 농업 생산량이 늘어났다.

② 철기를 이용한 주변 지역 정복 전쟁이 활발했다.

③ 고인돌 대신 널이나 독을 이용해 땅에 묻는 무덤이 등장했다.

④ 고조선의 세력 범위가 좁아지고, 세형 동검이 한반도 전역에서 발견되었다.

⑤ 철의 풍부한 매장량 덕에 청동기가 사라지고 철제 농기구와 무기를 만들어 사용했다.

[02~04] 지도를 보고 물음에 답하시오.

02. (가)~(마)에 해당하는 나라 이름을 쓰시오.

03. (가)~(마) 국가에 대한 설명으로 옳은 것은?

① (가) - 중국의 한나라와의 전쟁에 패해 멸망했다.

② (나) - 산악 지역에 위치해 더 좋은 땅을 차지하기 위해 활발한 정복 활동을 벌였다.

③ (다) -흰옷을 즐겨 입었고 해산물이 풍부했다.

④ (라) - 신지, 읍차라 불리는 군장이 다스렸다.

⑤ (마) - 제정일치 사회였고, 이들 중 가장 강력한 나라의 군장을 왕으로 임명했다.

04. 위 지도를 보고, 다음 빈칸에 알맞은 나라의 기호를 쓰거나, 알맞은 말을 골라 ○표 하시오.

(①)의 간섭을 받았던 (②)은/는 같은 씨족끼리 혼인하지 않는 풍습 ③(책화/족외혼)이 있었다.

고조선의 준왕이 무리를 이끌고 세운 한이라는 나라는 이후 (④)(으)로 발전했다. 이곳에는 ⑤(소도/천군)(이)라는 신성불가침 구역이 있어 정치적 지도자와 종교 지도자가 분리되어 있었다는 사실을 알 수 있다.

Chapter 03 삼국의 성립과 발전

📖 세 나라가 천하를 다투다

책을 읽기 전에

🌐 3장 안내를 바탕으로 2장에서 읽은 내용과 어떤 변화가 있는지 생각해 보자.

- 삼국의 건국 과정과 체제 정비 과정을 설명해 보세요.
- 3~4세기 백제 근초고왕의 업적을 이야기해 보세요.
- 5세기 고구려 광개토 대왕과 장수왕의 업적을 이야기해 보세요.
- 6세기 신라 지증왕, 법흥왕, 진흥왕의 업적을 이야기해 보세요.

책을 읽으며

1. 삼국의 성립과 발전 과정 역사를 읽으며 중요하다고 생각하는 내용에 밑줄 쳐 보자.

2. 부분별로 읽은 내용을 생각하며 빈칸을 채워 보자.

    ▣ 고구려가 국내성으로 수도를 옮긴 까닭은?: 고구려의 체제 정비(1~4세기)

    1) 부여 계통의 이주민인 (   )이 압록강 유역의 (   ) 지방으로 가서 현지 주민과 함께 (   )를 세웠다.

    2) 졸본 지방은 물자가 부족한 산악 지대로 교통도 불편하고, 농경 생활에 적합하지 않아 (   )으로 수도를 옮겼다. 이후 고구려는 주변의 다른 나라를 (   ) 하면서 영토를 넓혔다.

3) 고구려는 1세기 후반 태조왕 때, 삼국 가운데 가장 먼저 (   ) 체제를 시도했다.

4) 동해안의 (   )를 정복하고, 남쪽으로는 청천강 일대, 서쪽으로는 (   ) 지방으로 진출하려고 노력했다.

5) 2세기 후반 고국천왕이 왕위를 아들에게만 물려주는 (   ) 제도를 도입해 (   )이 더욱 강해졌다.

6) 다섯 부족의 (   ) 5부를 해체하고 (   )에 따라 5부로 개편하고, 각 부족의 지배자들은 중앙 귀족으로 탈바꿈했다.

7) 고국천왕은 봄에 백성들에게 곡식을 빌려주고 수확이 끝난 후 가을에 돌려받는 (   )을 시행했다.

8) 4세기 초 미천왕은 요동 지방으로 진출해 (   )을 점령했고, 낙랑군과 대방군까지 진격해 멸망시켰으며, 중국 세력을 물리치고 (   ) 이남까지 영토를 확보했다.

9) 4세기 중반 고구려는 요서 지역 (   )의 침략에 환도성을 빼앗기고, (   )의 평양성 공격에 고국원왕이 목숨을 잃으며 큰 위기를 맞았다.

10) 고국원왕의 아들 (   )은 5호 16국 중에서 (   )과 수교를 맺고, 선진 문물을 받아들였다. 또 전진으로부터 (   )를 수입해 왕권을 강화했으며, 우리 역사상 최초의 교육 기관인 (   )을 설립했다. 오늘날의 법률인 (   )도 반포하며 중앙 집권 체제를 확립했다.

ⓑ 백제 고분과 고구려 고분은 왜 비슷할까?: 백제의 체제 정비와 확장(3~4세기)

1) 주몽의 두 아들 비류와 온조는 부여에서 건너온 (   )가 고구려의 왕위를 이을 태자가 되자, 신하와 백성들을 이끌고 남쪽으로 내려갔다. 비류는 미추홀, 온조는 (   )에 나라를 세웠다.

2) 서울 석촌동에 있는 백제의 초기 무덤인 (   )무덤은 백제가 부여 및 고구려 계통이었다는 사실을 입증하는 증거로, 고구려의 (   )과 같은 양식으로 만들어졌다.

3) 백제는 초기에 (   )의 여러 작은 나라 중 하나에 불과했지만 기름진 평야가 많아 농업이 빠른 속도로 발전했다.

4) (   )을 끼고 있어 해상 교통도 발전했고, (   )과 교류하면서 선진 문물을 받아들이기도 유리했다.

5) 백제는 3세기 중엽 (   ) 때 삼국 중 가장 먼저 중앙 집권 체제가 정착되었다.

6) 고이왕은 율령을 제정했으며, 관리를 총 16개의 등급인 (   )으로 나누어 통치 조직도 정비하고, (   )을 쳐서 병합하며 한반도 중부의 최고 강대국으로 떠올랐다.

ⓑ 신라에서는 왕을 어떻게 불렀을까?: 신라의 체제 정비

1) 《삼국사기》에서는 삼국 가운데 가장 먼저 세워진 나라는 기원전 57년의 (   )로 기록하고 있다.

2) 한반도의 남동쪽에 위치한 (   )의 소국 중 하나였던 사로국이 훗날 신라로 발전했다. (   )는 6개 부락 촌장들의 추대를 받아 왕에 올랐다.

3) 신라 초기에는 (　　)씨, (　　)씨, (　　)씨가 번갈아 가며 왕에 올랐고, 왕의 호칭도 자주 바뀌었다. 연장자라는 뜻을 가진 (　　　　)은 유리왕부터 4세기 중엽 홀해왕까지 쓰던 호칭인데, 이 시기에 신라의 영토가 넓어졌다.

4) 내물왕부터 지증왕까지는 왕을 대장군 혹은 최고의 우두머리를 뜻하는 (　　　) 이라 불러, 내물왕이 (　　　　) 강화에 힘썼다는 사실을 짐작할 수 있다.

5) 내물왕이 통치하던 4세기 중반, 신라는 중앙 집권 체제를 확립했고, (　　)씨만 왕이 될 수 있도록 했다.

6) 내물왕은 (　　　)의 요청을 받은 (　　)와 가야 연합군의 침략을 받았다. 이에 고구려의 (　　　　　　)은 5만 명의 군사를 보내 왜군을 물리쳤다.

➌ 귀족이 강했을까, 왕이 강했을까?: 삼국의 정치 체제와 신라 골품제

1) 세 나라 모두 귀족 회의를 운영했는데, 고구려는 대대로를 의장으로 하는 (　　　　　), 백제는 상좌평을 의장으로 하는 (　　　　　　　), 신라에서는 상대등을 의장으로 하는 (　　　　　)가 있었다.

2) 고구려는 (　　　　) 이하로 10여 등급의 관리가 있었고, 백제는 (　　　) 이하로 16등급, 신라는 (　　　　) 이하로 17등급의 관리가 있었다.

3) 세 나라는 지방을 다섯 구역으로 나누어 관리를 파견했다. 고구려는 수도와 지방을 (　　)로 나누고 왕권이 강해지면서 지방에 관리를 파견했다. 백제는 고구려와 비슷해 수도는 5부, 지방은 (　　)으로 나누고 이와 별도로 (　　　　)를 설치하기도 했다. 신라는 수도를 (　　), 지방을 (　　)로 나누고 특수 행정 구역인 소경을 2곳 두었다.

4) 신라는 ( )라는 독특한 신분제가 있었다. 이것은 골제와 두품제를 합친 말로 부모가 왕족이면 ( ), 한쪽만 왕족인 고위 귀족이면 ( ), 왕족이 아닌 일반 귀족들은 ( ), 평민은 3~1두품까지 서열을 정했다.

5) 골품제에 따라 정해진 신분은 바꿀 수 없었으며, 벼슬은 물론 집의 크기, 수레의 크기, 의복까지도 골품제에 정해진 것으로 보아 완벽한 ( ) 사회였다는 사실을 알 수 있다.

Ⓑ 가야가 있다면 사국 시대가 맞는 게 아닐까?: 가야 연맹의 성립과 부여의 멸망

1) 마을 족장들이 어진 임금을 내려 달라고 하늘에 제사를 지내자 6개의 황금알이 내려왔고, 이 중 가장 먼저 알에서 깨어난 아이가 ( )였다.

2) 알의 개수가 6개였던 것은 가야가 ( ) 국가였으며, 고구려, 백제, 신라와 마찬가지로 토착민과 이주민이 힘을 합쳐 나라를 건국했다는 사실로 파악할 수 있다.

3) 가야는 여러 소국으로 구성되어 있었으며, 백제와 신라 사이에 있는 ( )땅, 낙동강 하류 지역에 세워졌다. 땅이 비옥해서 농업이 발달했고, ( )이 많아 철기 문화가 발전했다.

4) 삼국이 왕권을 강화하여 중앙 집권 국가로 발전한 것과 달리, 가야에 속한 나라들은 각자 독립적인 정치 권력을 유지한 ( ) 연맹 국가였다.

5) 가야 연맹체 중 ( ) 가야는 토지가 비옥하여 농업 생산력이 높았다. 철기 문화가 발전해 철로 무기나 농기구를 만들었고, ( )라는 화폐도 사용했으며, ( )과 낙랑 등지로 ( )을 수출해 중국, 북방 유목 민족과도 교류했다.

6) 전기 가야는 5세기 초반까지 이어졌는데, 김수로왕을 배출한 (   )의 금관가야가 맏형 노릇을 했다. 금관가야는 백제, 왜와 돈독한 관계를 유지했고 (   )를 공격하기도 했다.

7) 금관가야는 (   )군의 남진으로 큰 타격을 받았다. 하지만 고령의 (   )가 비옥한 토지와 철 자원을 바탕으로 힘을 키워 후기 가야의 역사를 시작하였다.

Ⓑ 근초고왕은 정말 중국 땅에 진출했을까?: 백제, 먼저 치고 나가다

1) 고이왕 이후 왕위를 놓고 귀족들 사이 권력 다툼으로 혼란스러워진 백제는 4세기 중엽 권력 투쟁에서 승리해 왕에 오른 (   ) 시절 최고의 전성기를 누렸다.

2) 근초고왕은 왕권 강화를 위해 왕위 (   ) 제도를 확립했으며, 지방에는 (   )을 파견해 왕권을 안정시켰다.

3) 근초고왕은 남쪽으로는 (   )의 남은 세력을 정복해 전라도 지방을 차지했고, 낙동강 유역의 가야도 제압해 영토를 확장했다.

4) 한반도 중부와 남부를 평정한 근초고왕은 고구려의 (   )을 공격하여 고국원왕을 죽이고 황해도 일부 지역까지 세력을 넓혔다.

5) 근초고왕은 서해를 건너 중국 (   ) 지방까지 진출하며 해상 교통을 장악했다. (   )와도 교류하면서 규슈 지방까지 활동 무대를 넓혔다. 왜국과 우호적으로 지내기 위해 선물로 보낸 길이 74센티미터의 칼인 (   )가 그 증거이다.

6) 근초고왕 이후 백제는 동진과 계속 우호적인 관계를 이어갔는데, 덕분에 4세기 후반 (   ) 시절에 동진으로부터 (   )를 수입할 수 있었다. 이는 왕권 강화와 중앙 집권 체제 구축에 큰 도움을 주었다.

🅑 중국 후연이 멸망한 까닭은?: 광개토 대왕의 영토 확장(5세기)

1) 5세기 초 (   )는 동북아시아의 대제국으로 우뚝 섰다. 중국이 분열과 혼란
   의 시기를 맞고 있을 때 (   )은 사방으로 정복 전쟁을 벌였다.

2) 광개토 대왕은 여러 차례 (   )를 공격하여 한강 이북 지역을 차지했다. 백제
   아신왕이 왜국과 가야를 부추겨 (   )를 치도록 했지만 광개토 대왕이 보낸 5
   만 고구려군의 상대가 되지 못했다.

3) 왜군은 (   )로 후퇴했으나 고구려군이 공격하여 한반도의 남쪽도 평
   정했다.

4) 광개토 대왕은 고구려 국경 주변 지역도 평정했다. 거란, 비려, 숙신 등의 민족들
   이 모두 항복했고, (   )까지 정복했다.

5) 요동 지방의 (   )이 먼저 공격하자 광개토 대왕은 군대를 이끌고 요동으로 진
   격해 승리하며 (   )도 되찾았다.

🅑 장수왕의 묘호가 장수왕인 이유는?: 고구려 장수왕의 남진 정책(5세기)

1) 5세기 초반 광개토 대왕의 뒤를 이어 즉위한 (   )은 (   ) 정책을 폈기
   때문에 북쪽이나 서쪽으로 영토를 더 넓히지 못했다.

2) 장수왕은 (   )으로 도읍을 옮기고 백제와 신라를 공격했으며, 이를 막기
   위해 백제와 신라는 (   ) 동맹을 체결했다.

3) 5세기 후반 고구려 군대는 3만의 군사를 보내 백제 수도인 (   )을 함락했고
   이때 개로왕이 전사했다. 멸망의 위기를 맞은 백제는 수도를 (   )으로 옮겼다.

4) 고구려는 한강을 넘어 오늘날의 충청도까지 진격했고, 장수왕은 영토 확장을 기념해 충주에 (   )를 세웠다. 고구려군은 신라로 진격해 (   ) 이북 땅을 차지하며 한반도의 중부 지역까지 영토를 넓혔다.

❸ 백제가 남부여로 이름을 바꾼 까닭은?: 백제의 재기 노력과 제2의 중흥(5~6세기)

1) 백제의 비유왕은 신라의 눌지왕과 (   )을 맺고 고구려에 맞섰으나 역부족이었다. 백제는 광개토 대왕의 공격 때 (   ) 지역을 잃었고, 왕이 굴욕적인 항복을 해야 했다. 또한 장수왕의 공격 때는 수도 (   )을 잃었고, 개로왕이 아차산에서 고구려군에 살해되었다.

2) 개로왕의 아들 문주왕은 수도를 (   )으로 옮겼지만, 한강을 잃어 무역이 침체되었고 경제 상황도 나빠졌다.

3) 백제의 (   )은 혼란 극복을 위해 신라 왕실의 여성을 아내로 맞아 나제 동맹보다 한 단계 더 높은 (   ) 동맹으로 고구려의 남진 정책에 맞섰다.

4) 6세기 초 (   )은 지방 행정 구역을 정비해 전국에 (   )담로를 설치해 왕족을 파견하여 다스리게 했다.

5) 무령왕은 중국 (   )와 교류하면서 중국의 우수한 문물을 받아들였고, 백제가 제2의 중흥을 할 수 있는 기반을 마련했다.

6) 웅진이 사방으로 뻗어 나가기 어려워, (   )은 넓은 평야와 강을 끼고 있는 (   )로 수도를 옮기고 나라 이름도 (   )로 바꾸었다.

7) 성왕은 중앙에 (   )의 관청을 두고 수도와 지방 행정 구역을 나누어 체제 정비를 시작했으며, 중국 남조와의 교류를 강화하고 왜국과의 교류를 늘려 선진 문물을 전파했다.

8) 고구려가 귀족들의 권력 다툼으로 어수선한 상황에서 나제 동맹이 고구려를 공격해 백제는 (　　　) 유역을 되찾았지만, 신라의 (　　　　)이 돌연 백제를 공격하여 한강 유역을 빼앗았다.

9) 백제의 성왕은 한강 유역을 되찾으려 신라를 공격했지만 (　　　　) 전투에서 패했다. 이후 나제 동맹은 깨졌고, 백제는 기울었으며 (　　　)가 주도권을 갖게 되었다.

🅑 울릉도와 독도를 우리 영토로 만든 왕은 누구일까?: 신라의 체제 정비 및 팽창(6세기)

1) 지증왕은 (　　　)의 선진 문물과 제도를 적극적으로 받아들였고, 왕의 칭호를 마립간에서 (　　)으로 바꾸었으며, 나라 이름도 서라벌에서 (　　　)로 바꾸었다.

2) 지증왕은 지방 행정 구역도 정비해 전국을 주로 나누고 그 밑에 군과 현을 두었다. 또한 이사부를 시켜 (　　　　　)을 병합해 신라 영토를 만들었고, 경주를 넘어 경상도 북부까지 진출했다.

3) (　　　　　)은 율령을 반포하고, 군대를 총괄하는 병부를 신설했다. 또한 골품제를 정비해 관리를 17개 관등으로 나누고 신분에 따라 승진 상한선을 정했다.

4) 또 귀족 회의를 주재하는 (　　　　　) 벼슬을 신설해 왕을 보좌하는 역할을 하게 했다.

5) 법흥왕은 고구려 광개토 대왕의 공격 이후 쇠퇴한 김해의 (　　　　　)를 병합했으며, (　　　)도 공인했다.

6) 법흥왕에 이르러 완벽한 중앙 집권 체제를 갖춘 신라는 다음 왕인 (　　　　) 때 공격적으로 영토를 확장했다.

7) 나제 동맹이 고구려에 대승을 거두고 백제는 한강 하류를, 신라는 한강 상류를 차지했지만, 이후 신라가 백제를 공격해 한강 하류를 차지했다. 이로써 신라는 (   )과 직접 교류할 수 있었다.

8) 관산성 전투 이후 한반도의 주도권을 잡은 신라는 고령의 (   )를 정복했다.

9) 진흥왕은 동해안을 따라 북쪽의 (   )까지 진출했으며, 영토 확장 기념물인 단양 신라 적성비와 창녕, 북한산, 황초령, 마운령 등 4곳에 (   )를 세웠다.

10) (   )는 진흥왕이 정비한 청소년 심신 수련 단체로 교육과 군사, 사교 등 다양한 방면의 수련을 했으며, 세속오계라는 계율을 엄격히 지켰다.

🅑 가야와 부여가 성장하지 못하고 멸망한 까닭은?: 후기 가야의 성장과 멸망

1) 고구려군의 침입으로 (   )가 휘청거리며 전기 가야의 역사가 끝났고, 대가야가 가야 연맹체를 재건하며 후기 가야가 시작되었다.

2) (   )는 비옥한 토지와 철 자원을 바탕으로 힘을 키웠으며, 다시 일본, 중국과 무역을 확대했다. 중국 남조에 사신을 보내고, 전라북도 일부 지역을 점령하기도 했다.

3) 신라 (   ) 시기 금관가야가 병합되었고, (   ) 때 대가야마저 병합되어 가야는 사라지게 되었다.

4) 금관가야의 귀족 상당수는 신라에 투항했는데, 특히 가야 시조인 (   ) 혈통은 신라에서 (   ) 귀족이 되었다. 대표적인 인물이 삼국 통일의 일등 공신 (   )이었다.

5) (   )은 가야의 가실왕이 만든 (   )을 들고 신라로 와 신라 음악을 만들었다.

6) 가야는 (   ) 국가 단계에 머물렀기 때문에 더 크게 성장하지 못하고 멸망했다.

3. 삼국이 중앙 집권 체제를 갖추어 나가는 과정에서 나타난 특징을 기억나는 대로 정리해 보자.

🌏 3장 내용을 한눈에 정리해 보자.

🔂 고구려, 백제, 신라의 건국 과정

1. 각 나라와 설명을 연결하며 고구려, 백제, 신라 건국에 대해 알아보자.

고구려	백제	신라

부여 왕 궁궐에 살던 유화 부인이 낳은 큰 알에서 태어난 고주몽이 세움.

양산의 한 우물에 천마가 남긴 알에서 태어난 아이가 커서 나라를 세움.

주몽의 아들인 온조가 비류와 함께 남쪽으로 내려옴.

위례성에 나라를 세우고, 비류의 백성을 받아들임.

졸본에서 국내성으로 수도를 옮기고, 주변 나라들을 정복함.

알영이라는 연못에 나타난 용에게서 태어난 여자아이가 후에 왕후가 됨.

ⓑ 세 나라의 체제 정비

1. 빈칸에 맞는 왕의 이름을 쓰며 1~4세기 백제, 고구려, 신라 세 나라의 체제 구축 과정을 정리해 보자.

┌─────────────── 보기 ───────────────┐
│ ・내물왕   ・고국천왕   ・고이왕   ・소수림왕 │
└────────────────────────────────────┘

고구려	백제	신라
• 태조왕(1세기 후반) 　– 옥저 정복 • ㉠(　　　　)(2세기 후반) 　– 부자 상속 제도 시행 　– 진대법 시행 • 미천왕(4세기 초) 　– 요동 서안평 점령 • 고국원왕(4세기 중반) 　– 전연과 백제의 공격에 위기 　　맞음. • ㉢(　　　　)(4세기 후반) 　– 전진에서 불교 수입 　– 태학 설립, 율령 반포 　⇒ 중앙 집권 체제 확립	• ㉡(　　　　)(3세기 중엽) 　– 율령 제정 　– 통치 조직 정비 　– 목지국 병합 　⇒ 중앙 집권 체제 정착	• ㉣(　　　　)(4세기 중반) 　– 왕의 칭호 마립간으로 높임. 　– 왜와 가야 연합군 침략에 　　고구려 광개토 대왕의 도움 　　을 받음. 　⇒ 중앙 집권 국가 기반 갖춤.

2. 1~4세기 삼국의 정치 체제를 살펴보고 해당하는 나라 이름을 쓰고 빈칸을 채워 보자.

㉠(   )

- 왕권보다 귀족의 권력 강함.
- 귀족 회의: ㉡(   ) 회의
- 행정 조직: 수도 · 지방 모두 각 5부로 나누고 지방 관리 파견

㉢(   )

- 왕권보다 귀족의 권력 강함.
- 귀족 회의: 정사암 회의
- 행정 조직: 수도 5부, 지방 5방으로 나누고 지방 관리 파견, 22㉣(   ) 별도 설치

▲ 4세기 중반 한반도 국가의 영토

㉤(   )

- 왕권보다 귀족의 권력 강함.
- 귀족 회의: 화백 회의
- 행정 조직: 수도 6부, 지방 5주로 나눔. 특수 행정 구역 2소경 설치
- 신분 제도: ㉥(   )

Ⓑ 세 나라의 경쟁

1. 빈칸을 채우며 4세기 중엽 백제의 전성기를 알아보자.

왕	㉠( )

국내 정치	• 중앙 집권 체제
	   – ㉡( ) 안정, 왕위 부자 상속 제도 확립
	   – 지방관 파견

영토 확장	• ㉢( ) 세력 정복 – 전라도 지방 차지, 낙동강 유역의 가야 제압 • 고구려(평양성) 공격해 황해도 일부 지역까지 세력 확장 • 남서해의 해상 교통 장악함.
국외 교류	• 중국과 교류 확대 – 동진과 우호 관계 맺음. • 왜(일본)와 교류 이어감.

2. 빈칸을 채우며 고구려의 전성기인 4세기 말부터 5세기까지 역사와, 상대국이었던 백제와 신라의 5~6세기 중엽까지 역사를 정리해 보자.

19대 ㉠( )	왕	20대 ㉡( )

• 자주적 통치
  – 태왕, 성왕 호칭 사용
  – 독자적 연호 사용: 영락
	국내 정치	• 남진 정책 추진
		  – 평양으로 도읍 옮김.

• 국경 주변 지역 평정
  – 거란, 비려, 숙신 등 항복 받아냄.
	국외 교류	• 중국 북조, 남조와 모두 교류함.
		• 북조 위, 유연과도 교류함.
		  ⇒ 실리 외교 정책 시행

• 동부여 정복
• 요동 진격
  – 후연의 공격, 모든 전투 승리해 요동성 되찾음.
• 백제 공격
  – 수십 개 성 빼앗고, 아신왕을 포로로 잡고, 한강 이북 차지
• 한반도 남쪽 평정
  – 신라를 도와 금관가야 공격함.
	영토 확장	• 백제 공격
		  – 한성 함락(백제 개로왕 전사)
		  – 충청도 진격: 중원 고구려비
		• 신라 공격
		  – 죽령 이북 영토 차지함.
		  – 아산만에서 영일만에 이르는 남쪽 경계선 이룸.
		  ⇒ 우리 역사상 최대 영토 확보

⇕

신라와 백제	고구려의 정복 전쟁에 맞서기 위해 5세기 후반 ㉢( ) 맺었으나 큰 성과 얻지 못함.	
백제	• 문주왕: 웅진으로 수도 옮김. • 동성왕: 신라와의 동맹 강화 • 무령왕: 중앙 집권 체제 강화 • 성왕: 사비로 수도 옮김, 체제 정비	• 위기 속에서 독자적 발전 방법 찾다 6세기 지증왕 이후 중앙 집권 국가 형성됨.	신라
신라와 백제	6세기 중엽 나제 동맹이 고구려 공격하여 승리하고 한강 빼앗음.	
백제	신라 ㉣( )이 백제 공격 한강 유역 빼앗음.→백제 ㉤( ), 신라 공격→관산성 전투에서 성왕 전사. 백제 기울고 신라가 주도권 가짐.	신라

3. 빈칸을 채우며 신라의 전성기를 정리하고, 각 왕의 업적을 알아보자.

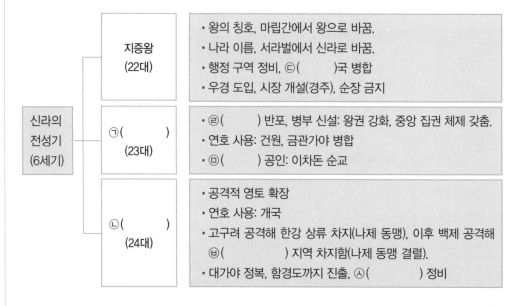

신라의
전성기
(6세기)

**지증왕
(22대)**

• 왕의 칭호, 마립간에서 왕으로 바꿈.
• 나라 이름, 서라벌에서 신라로 바꿈.
• 행정 구역 정비, ⓒ(   )국 병합
• 우경 도입, 시장 개설(경주), 순장 금지

**㉠(   )
(23대)**

• ⓔ(   ) 반포, 병부 신설: 왕권 강화, 중앙 집권 체제 갖춤.
• 연호 사용: 건원, 금관가야 병합
• ⓜ(   ) 공인: 이차돈 순교

**ⓛ(   )
(24대)**

• 공격적 영토 확장
• 연호 사용: 개국
• 고구려 공격해 한강 상류 차지(나제 동맹), 이후 백제 공격해
  ⓗ(   ) 지역 차지함(나제 동맹 결렬).
• 대가야 정복, 함경도까지 진출, ⓐ(   ) 정비

🅱 가야의 건국, 성장, 멸망

건국 신화

마을 족장들의 제사에 하늘이 6개의 황금알을 내려 보내줌. 가장 먼저 알에서 나온 ㉠(   )와
다섯 명이 6가야의 왕위에 오름.

전기 가야(1세기~5세기 초반)

• 낙동강 하류 지역 위치함. 농업 발달, 철기 문화 발전
• ⓛ(   )가 맏형 노릇, 백제, 왜와 돈독한 관계 유지함.
• 광개토 대왕의 공격받고 금관가야 쇠퇴함.

후기 가야(5~6세기 중반)

• ⓒ(   )가 가야 연맹체 재건함.
• 호남 지역으로 세력 확장하려다 백제와 여러 차례 전쟁에 약해짐.
• 신라에 금관가야 병합 후 대가야가 신라에 병합되며 사라짐.

그 당시 세계는?

기원전 27년, 카이사르의 후계자인 옥타비아누스가 권력을 잡은 후 로마 제국 시대를 열었다. 이후 수백 년 역사를 이어 가던 로마는 동로마와 서로마로 갈라서고 서로마 제국은 476년 멸망했지만, 동로마 제국은 이후 1,000여 년 동안 건재했다.

1. 삼국이 중앙 집권 국가로 발전하는 과정에서 공통적으로 나타난 특징을 정리해 보자.

①

②

③

④

⑤

2. 고구려, 백제, 신라 각 전성 시기에 공통으로 차지했던 지역을 쓰고, 그 지역의 중요성을 대내외적으로 검토하여 정리해 보자.

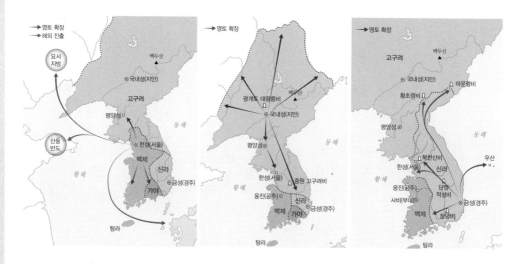

3. 빈칸을 채우며, 삼국의 정치 체제를 비교해 보자.

	고구려	백제	신라
귀족 회의	제가 회의	㉠_____	화백 회의
수상	㉡_____	상좌평	㉢_____
중앙 정치 조직	대대로 이하 10여 등급	좌평 이하 16등급	이벌찬 이하 17등급
행정 조직	수도-5부 지방-㉣___	수도-㉤___ 지방-5방 22담로 설치	수도-㉥___ 지방-5주 특수 행정 구역-2소경

4. 신라의 진흥왕이 나제 동맹을 깨고 한강 하류 지역을 차지한 것에 대해 자신의 생각을 논술해 보자.

01. 고구려 성장 시기에 일어난 다음의 사건들을 순서대로 나열하시오.

> ㉠ 수도를 졸본에서 국내성으로 옮겼다.
>
> ㉡ 중국의 전연과 백제의 침입으로 어려움을 겪었다.
>
> ㉢ 율령을 반포하고, 태학을 설립해 인재를 양성했다.
>
> ㉣ 요동 지방으로 진출해 서안평을 점령했다.
>
> ㉤ 왕위를 아들에게만 물려주는 부자 상속 제도를 시행했다.

02. 오른쪽 지도의 시기에 있었던 일이 아닌 것은?

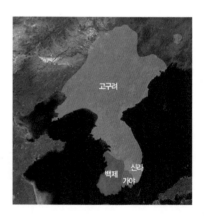

① 광개토 대왕은 낙랑군과 대방군을 공격해 멸망시켰다.

② 고구려는 북쪽으로 쑹화강에서 연해주에 이르는 땅을 차지했다.

③ 백제의 동성왕은 신라와 혼인 동맹을 맺었다.

④ 장수왕은 한강 이남 지역을 차지하고 중원 고구려비를 세웠다.

⑤ 신라에서는 김씨만이 왕위를 세습할 수 있도록 했다.

03. 백제의 도읍지를 기준으로 (나) 시기에 대한 설명으로 옳은 것은?

| 위례성 | → | (가) | → | (나) |

① 산맥과 강을 끼고 있어 외적으로부터 방어하기 좋은 곳이었다.

② 신라에서 동맹을 깨버렸기 때문에 (나)로 옮기게 되었다.

③ 이곳으로 옮기고 '남부여'로 나라 이름을 바꾸었다.

④ 이곳으로 천도한 왕은 전국에 22담로를 설치했다.

⑤ 장수왕에게 한강 이남을 빼앗기면서 이곳으로 옮겨왔다.

04. 오른쪽 지도 시기의 신라 왕 이름과 그가 세운 비석의 이름 5개를 모두 쓰시오.

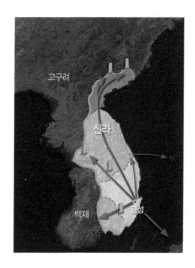

신라 왕 이름:

5개 비석 이름:

05. 다음에서 설명하는 나라를 오른쪽 지도에서 찾아 기호와 이름을 쓰시오.

- 하늘에서 내려준 금궤 속의 여섯 알 중 가장 먼저 깨어난 아기가 왕이 됨.
- 김유신 장군은 본래 이 나라 왕족 출신
- 전기 가야를 이끎.
- 지금의 김해 지역에 해당

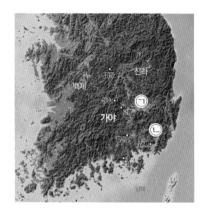

06. 아래에서 설명하는 왕의 업적에 해당하는 것을 〈보기〉에서 모두 고른 것은?

장군 이사부를 시켜 울릉도와 독도를 우리 영토로 만들었다.

┤ 보기 ├

ⓐ 우경 도입

ⓑ 연호 '건원' 사용

ⓒ 왕에 대한 호칭을 '왕'으로 바꿈.

ⓓ 전국을 주로 나누고 그 밑에 군, 현을 둠.

ⓔ 경주에 시장 개설

① ㄱ, ㄷ   ② ㄷ, ㄹ, ㅁ   ③ ㄱ, ㄴ, ㄷ

④ ㄱ, ㄴ, ㄷ, ㄹ, ㅁ   ⑤ ㄱ, ㄷ, ㄹ, ㅁ

삼국의 문화와 대외 교류

📖 다양한 문화가 발전하다

책을 읽기 전에

🌐 **다음 내용을 바탕으로 4장에서 알아두어야 할 내용이 무엇인지 생각해 보자.**

- 삼국 시대 사람들의 의식주와 생활 문화에 대해 이야기해 보세요.
- 삼국의 사찰과 탑, 불상에 대해 이름과 특징을 이야기해 보세요.
- 삼국 및 가야의 고분에 대해 각각의 이름과 특징, 변화를 설명해 보세요.
- 삼국 및 가야의 대외 관계와 일본에 전파한 문화를 설명해 보세요.

책을 읽으며

1. 삼국의 다양한 문화, 예술의 특징을 비교하며 읽고, 중요하다고 생각하는 내용에 밑줄 쳐 보자.

2. 부분별로 읽은 내용을 생각하며 빈칸을 채워 보자.

🔢 삼국 시대의 김치와 오늘날의 김치는 뭐가 다를까?: 삼국 시대의 의식주 문화

1) 세 나라 모두 (   ) 구분이 확실했으며, 왕족과 귀족, 평민, 천민에 따라 의식주가 달랐다.

2) 세 나라 모두 (   )은 대체로 비단이나 명주로 만든 옷을 입었다. 고구려의 귀족들은 옷에 새의 깃털을 꽂고 금과 은으로 장식한 화려한 관을 썼다.

3) 백제는 (   )와 (   )에서 갈라져 나온 사람들이 세운 나라여서 의복도 고구려와 비슷했다. 자주색과 붉은색은 (   )만이 쓸 수 있는 색이었으며, 화려한 장신구로 몸을 치장하기도 했다.

4) 신라도 신분에 따른 의복 차이가 컸다. (   )에 따라 입는 옷이나 사는 집, 타는 수레까지 규정을 만들었다.

5) 세 나라 모두 음식도 신분에 따라 달랐는데, (   )이 상당히 귀한 곡물이어서 대체로 왕족과 귀족만 쌀밥과 고기를 먹었다.

6) 평민들은 주로 (   )옷을 입었으며, 동물 가죽으로 만든 옷을 입기도 했다. 백제의 평민들은 (   )을 입었고, 대체로 보리, 조, 콩, 기장과 같은 잡곡, 도토리로 만든 음식을 먹었다.

7) 삼국 시대에 (   ) 반찬을 만들어 먹기 시작했다. 삼국 시대의 김치는 채소를 (   )에 절인 음식이었다. (   )이나 (   )과 같은 발효 식품도 만들어 먹었다.

8) 귀족들은 기와집에 살았고, 평민들은 주로 나무 기둥으로 집의 틀을 만든 뒤 짚더미와 흙을 반죽해 벽을 세우는 (   )과 통나무를 차곡차곡 쌓은 다음 빈틈을 흙과 돌로 막아 벽을 세운 (   )에 살았다.

9) 가을이면 급격하게 기온이 떨어지는 동해안 북부에서는 (   ) 장치를 쓰기 시작했다. 이것이 나중에 (   )로 발전했다.

🅑 탑 이름에 '〜지'가 붙는 이유는 뭘까?: 삼국 불교 예술의 발전

1) 삼국은 중앙 집권 체제를 정착시키기 위해 (   )가 필요했다. 자연신이나 조상신을 섬기는 전통 신앙이 있었으나 백성 전체의 마음을 모을 수 없었기 때문이다.

2) 불교는 체계적인 교리를 갖춰 백성의 사상을 통합할 수 있었다. 또한 불교에서는 '왕이 곧 부처'라는 말도 있어서 (   ) 강화에 도움이 되었다.

3) 불교는 4세기 후반부터 한반도로 유입됐다. 고구려가 (   ) 때 중국의 전진에서 불교를 받아들였고, 백제는 (   ) 때 중국의 동진에서 수입했다. 그리고 신라는 5세기에 수입했지만, 최종 공인은 6세기 (   ) 때였다.

4) 왕들은 불교를 적극적으로 장려했는데, 신라 (   )은 불교와 토속 신앙을 결합해 성대한 잔치를 열기도 했다. 하지만 삼국 시대까지는 불교가 널리 확산하지 않았고, 일반 서민에게까지 확산한 것은 (   ) 이후이다.

5) 고구려는 4세기 후반 (   ) 때 인천 강화에 (   )를 짓고, 평양을 중심으로 많은 사찰을 세웠다.

6) 백제는 (   ) 때 익산 미륵사와 부여 정림사를 지었는데, 이 절들은 현재 절터만 남아 있다.

7) 신라는 (   ) 때 황룡사를, 선덕 여왕 때 분황사를 지었는데, 황룡사는 절터만 남았고, 분황사는 현재 (   )에 가면 볼 수 있다.

8) 신라의 대표적인 탑은 (   ) 때 만든 (   )이었다. 이 탑을 쌓으면 신라를 둘러싼 9개의 나라를 제압할 수 있다고 믿었다. 하지만 고려 때 (   )의 침략을 받아 불에 타 버렸다. 신라 시대 탑으로는 높이 9.3미터의 분황사 모전 석탑이 남아 있다.

9) 백제의 탑으로는 백제 최초의 석탑이지만 목탑 양식으로 만든 익산 (   ) 과 삼국 통일 과정에서 백제를 무너뜨린 당의 장수 소정방이 승리를 자축하는 글귀를 남긴 (   )이 있다.

10) 백제는 '용현리 마애 여래 삼존(입)상'이 있는데, 불상의 얼굴을 보면 온화한 미
　　소를 띠고 있어 '(　　　　　　　　　)'라고도 한다.

11) (　　　　　)의 대표적 불상은 '금동 연가 7연명 여래 입상'이다. 신라 지역인 경
　　남에서 출토되었으나 불상 뒤쪽에 고구려가 사용하던 연호인 '연가'와 고구려 관
　　련 내용이 적혀 있어 당시 신라가 고구려의 속국이었음을 알 수 있다. (　　　)의
　　대표적 불상은 '경주 배동 석조 여래 삼존 입상'이다.

12) 삼국 시대에 미륵보살이 나타나 중생을 구제할 것이라는 (　　　　　　)이 유
　　행했으며, 그때 만들어진 대표 불상이 '금동 미륵보살 반가 사유상'이다.

Ⓑ 삼국 시대에 왜 역사서를 편찬했을까?: 유학 및 도교의 발달과 삼국 시대의 예술

1) 백성의 사상을 통합하는 데 불교가 필요했다면, 통치 이념과 체제를 정비하는 데
　　에는 (　　　)가 큰 도움을 주었다.

2) 중앙 집권 체제가 확립되면서 삼국의 왕들은 왕실의 위엄을 높이기 위해 (　　　)
　　를 편찬하도록 했고, 이는 백성의 국가에 대한 충성심을 높이는 계기가 됐다.

3) 고구려는 국립 대학인 (　　　)에서 귀족 자제들에게 유교 경전과 역사를 가르쳤
　　다. 지방에는 (　　　)을 세워 유학과 무술을 가르쳤으며, 태학박사 이문진이 그
　　전까지 내려오던 역사서 《유기》를 5권으로 압축해 《신집》을 편찬했다.

4) 백제는 박사 제도가 있어 유교 경전을 공부하고 기타 학문도 연구했다. 유교 경전
　　에 통달한 사람은 (　　　)박사, 의료 분야 전문가는 의박사, 천문과 역법 전문가
　　는 (　　)박사라 불렀다. 또한 근초고왕의 명령으로 백제 역사서 《서기》를 쓴 고흥
　　도 박사였다.

5) (   )는 삼국을 통일한 후에 국립 대학인 (   )을 세웠다. 거칠부가 『국사』 라는 역사서를 편찬했다.

6) 불교와 유교 외에 귀족을 중심으로 확산한 또 하나의 종교로 (   )가 있었는 데, 이는 신선을 숭배하거나 자연을 중하게 여기는 풍조가 강했다. 또한 영원히 늙지 않고 오래 살기를 바라는 (   )을 기원하기도 했다.

7) 정부가 불교를 억압하기 위해 의도적으로 도교를 장려하기도 했는데, 대표적 인물이 고구려의 (   )이었다.

8) 백제의 수도인 부여에서 발견된 (   )와 부여의 한 절터에서 발견된 (   )은 도교의 영향을 받은 대표적인 유물이다. 또한 고구려 강서 고분에서 발견된 (   )도 대표적 도교 유물로 꼽힌다.

9) 고대 국가에서는 (   )이 농민의 삶과 직결되는 학문으로 일찍부터 발달했으며, 그 증거가 경주의 (   )라 할 수 있다. 고구려에서는 천문도를 만들었다.

10) 삼국 시대 때 철제 장식품도 많이 만들어졌으며, 삼국의 고분에서 골고루 발견됐다. 백제 금동 대향로나 칠지도는 당시 (   ) 기술이 상당히 발전했음을 알 수 있는 증거이다.

11) (   )의 왕산악이 중국의 칠현금을 개조해 (   )를 만들었고, (   ) 에서는 백결 선생이 방아타령을 만들었다. 가야의 (   )이 가야 음악을 정리해 신라 음악으로 발전했다. 백제는 명인은 등장하지 않지만 금동 대향로에 악사 다섯 명이 새겨져 있는 것으로 음악이 발전했음을 짐작할 수 있다.

⑧ 고분 연구가 왜 중요할까?: 삼국 고분의 특징과 변화

1) (   )은 왕과 지배층의 무덤으로 이것에서 발견된 유물을 통해 당시 생활상을
   파악할 수 있다.

2) 고구려 초기의 고분은 (   )으로 무덤의 테두리를 사각형으로 만든
   후 그 안에 돌을 채워 넣고 작게 널방을 만들어 그 위를 돌로 덮는 것이었다. 나중
   에 돌 대신 흙으로 덮으면서 흙무덤으로 바뀌었다. 대표적인 돌무지무덤은 (   )
   으로 5세기에 만들어졌는데, 고구려 (   )의 무덤으로 추정되고 있다.

3) 서울 석촌동에 있는 백제 고분이 장군총과 생김새가 유사한 것으로 보아 백제의
   초기 고분도 (   ) 형태이다. 다만 백제 석촌동 고분이 장군총보다
   약간 길다.

4) 이후 돌무지무덤은 돌로 널방을 만들고, 그 널방에서 외부로 향하는 통로를 굴처럼
   뚫는 (   )으로 바뀌었다. 고구려는 4세기부터 굴식 돌방무덤
   에 벽화를 남겼는데, 처음에는 풍속도나 불교 그림이 많았다. 6세기 이후에는 도
   교의 영향을 받은 그림이 많았다.

5) 백제도 고구려와 마찬가지로 굴식 돌방무덤으로 바뀌었으나 중국 (   )와 교
   류하면서 널방을 벽돌로 쌓은 (   )이 등장했다. 6세기경 만들어진
   (   )이 대표적인 벽돌무덤이다.

6) 신라는 널을 넣은 후 흙으로 덮는 (   )이 유행했다. 그러다 점차 나무로 된
   덧널 위에 돌을 쌓고, 돌 위에 다시 흙을 덮은 (   )으로 바
   뀌었다. 신라 (   )이 대표적이다.

7) (   )는 초기에 널무덤과 덧널무덤을 만들었으나 5세기부터는 구덩이를 파고
   돌로 덧널을 만드는 구덩식 돌덧널무덤을 만들었다.

B 씨름도에 서역 사람이 등장하는 까닭은?: 삼국의 해외 교류와 일본 진출

1) 삼국과 가야는 (   )으로부터 다양한 문물을 받아들였는데, 수입한 경로는 조금씩 달랐다. 고구려는 중국 (   )의 나라들과 교류했으며, 고구려의 악기 (   )는 왕산악이 중국의 악기를 개조해 만든 것이다.

2) 백제는 (   )을 통해 중국 (   )의 나라와 교류했다. 동진과 남조의 영향을 받은 자기와 고분 양식이 대표적이다. 신라는 처음에는 고구려와 백제를 통해 중국 문물을 수입했지만 (   )을 차지하면서 중국 왕조인 (   )과 직접 교류하기 시작했다.

3) 우즈베키스탄 사마르칸트의 궁전에서는 (   ) 사신들의 모습을 그린 벽화가 발견되었고, 지린성에 있는 고구려 각저총에서는 (   ) 출신으로 보이는 사람들이 씨름하는 벽화가 발견되었다. 또한 황해도 안악의 안악 3호분에서 발견된 (   )에서 고구려 전통 무술인 수박 경기를 하는 사람도 서역 사람이다. 이것들이 고구려가 서역과 교류한 증거가 되고 있다.

4) (   ) 고분에서 서역 사람이 그려진 유리구슬, 서아시아의 유리잔과 뿔잔, 로마나 이집트에서 유행하던 보검이 출토되었다.

5) 경남 김해의 가야 유적지에서 발견된 유물 중에는 (   ) 지역에서 사용했던 청동 솥도 있었다.

6) (   )의 경우 삼국의 문화를 수입함으로써 7세기 전반에 아스카 문화를 발달시켰다.

7) 백제는 근초고왕 시절 아직기와 (   )이 일본으로 건너가 (   )과 논어를 가르쳤고, 왜국 왕에게 칠지도를 보냈다는 사실로 교류가 활발했음을 짐작할 수 있다. 6세기 중반에는 (   )가 일본에 불상과 불경을 전달했다.

8) (   )는 처음에는 일본과 가까운 사이가 아니었으나 신라가 (   )

을 빼앗은 6세기 이후 신라를 견제하기 위해 의도적으로 일본과의 교류를 늘렸다.

9) 일본 (   ) 문화의 주역인 쇼토쿠 태자의 스승이 되어 일본 불교 발전을 이

끈 인물이 (   ) 승려인 혜자였다. 또한 고구려 승려 (   )은 종이, 먹,

맷돌 만드는 법을 일본에 전수했고 불법도 강의했다. 일본 호류사의 금당벽화가

바로 그가 그린 그림이다.

10) 담징을 비롯한 고구려의 많은 화가가 (   )으로 건너가 두 나라의 화풍이 상

당히 비슷하다. 일본 다카마쓰 고분 벽화에 등장하는 여인들의 모습이 고구려

(   ) 고분 벽화와 아주 흡사하다.

11) (   )는 일본과 교류가 많지 않았지만, 배를 만드는 기술과 둑을 쌓는 기법을

전수했다. 가야는 일본에 (   ) 만드는 법과 (   ) 기술을 전수했고 두 나

라의 토기는 생김새가 매우 비슷하다.

3. 삼국의 불교 예술을 알 수 있는 탑과 불상에는 어떤 것들이 있는지 기억나는 대
로 말해 보자.

🌐 4장 내용을 한눈에 정리해 보자.

Ⓑ 삼국의 의식주 문화

1. 빈칸을 채우며 삼국이 신분제와 관련해 일상생활에 어떤 차이가 있는지 알아보자.

- ㉠( ), 평민, ㉡( )으로 구분해 신분에 따라 의식주 생활에 제한이 있음.
- 특히 신라는 신분 제도인 ㉢( )에서 정한 규정에 따라 입는 옷, 사는 집, 타는 수레까지 차이를 둠.

2. 세 나라 사람들의 의식주 생활에 맞게 밑줄 친 내용을 고쳐 보자.

	삼국의 의식주 문화
의생활	• 저고리와 바지(남자), 저고리와 치마(여자)가 기본 옷차림 • ㉠성별에 따라 옷의 색깔도 정해지거나 제한 있음(백제, 신라). 　– 귀족: 화려한 색의 ㉡무명옷을 입고, 보석 장신구로 치장함. 　– 평민: 삼베옷, 동물 가죽으로 만든 옷, ㉢검정 옷 입음(백제).
식생활	• 김치(채소를 ㉣간장에 절인 음식), 발효 식품(된장, ㉤고추장) • 왕족과 귀족: 쌀밥과 고기, 과일, 해산물 등 • 평민: 잡곡(㉥현미, 조, 콩, 기장), 도토리로 만든 음식
주생활	• 난방 장치(온돌) 사용하기 시작함(동해안 북부). • 귀족: 기와집 • 평민: 초가집, 귀틀집

🄑 삼국과 불교, 불교 예술

1. 전래부터 발전, 관련 유적까지 세 나라와 관련된 불교 관련 내용을 정리하며 빈 칸을 채워 보자.

불교가 왜 필요했나?
• 체계적 교리를 갖추어 ㉠( ) 의 사상을 통합할 수 있음.
• 불교 사상이 ㉡( ) 강화에 도움이 됨.

어떻게 전래되었나?
• ㉢( ): 4세기 소수림왕 때 전진에서 받아들임.
• ㉣( ): 4세기 침류왕 때 동진에서 수입
• 신라: 6세기 ㉤( ) 때 최종 공인됨.

	불교 유적
사찰	• 강화 전등사(고구려 소수림왕) • 익산 미륵사, 부여 정림사(백제 무왕) • 황룡사(신라 진흥왕), 분황사(신라 선덕 여왕)
탑	• 익산 미륵사지 석탑(백제) • 부여 정림사지 5층 석탑(백제 최초 석탑, 목탑 양식) • 황룡사지 9층 ㉥( )(신라), 분황사 모전 석탑(신라)
불상	• 금동 연가 7년명 여래 입상(고구려의 불상, 신라 지역에서 출토됨.) • 용현리 마애 여래 삼존상(백제) • 경주 배동 석조 여래 삼존 입상(신라) • ㉦( ) 반가 사유상(삼국 시대)

🄑 삼국과 도교

1. 빈칸을 채우며 삼국 시대 귀족을 중심으로 확산한 도교에 대해 알아보자.

특징	유물
• ㉠( )을 숭배하거나 자연을 중히 여김. • 불로장생 기원 • 고구려와 백제 사이에 널리 퍼짐.	• 백제 금동 ㉡( ) – 도교적 이상 세계 표현 • ㉢( ) 벽돌(부여 절터에서 발견됨.) • 사신도(고구려 강서 대묘에서 발견됨.) – 네 방위를 지키는 사신 등장하는 그림

1. 해당 국가의 이름을 쓰며 삼국의 통치 이념과 체제를 정비하는 데 도움을 준 유교와 각 나라가 편찬한 역사서를 알아보자.

㉠ ( )	• 학교: 태학(국립 대학, 귀족 자녀들에게 유교 경전과 역사 가르침.), 경당(지방, 유학과 무술 가르침.) • 역사서: 《신집》(《유기》 압축해 편찬)
㉡ ( )	• 박사 제도: 오경박사(유교 경전 통달), 의박사(의료 분야), 역박사(천문과 역법 전문가) • 역사서: 《서기》 편찬
㉢ ( )	• 학교: 국학(국립 대학/삼국 통일 후 세움.) • 역사서: 《국사》 편찬

⊞ 네 나라의 고분 변천사

1. 설명에 맞는 고분 무덤 형식을 〈보기〉에서 찾아 써 보자.

┌─────────────────── 보기 ───────────────────┐
│ ·널무덤 ·돌무지무덤 ·굴식 돌방무덤 ·돌무지 덧널 무덤 │
└──┘

무덤의 테두리를 만든 후 그 안에 돌을 채움. 작게 널방을 만들고 그 위를 돌로 덮음.	돌을 채우다 널방을 만든 후, 널방에서 외부로 향하는 통로를 굴처럼 뚫음.	널을 넣은 후 흙으로 덮는 무덤	나무로 된 덧널 위에 돌을 쌓고, 돌 위에 다시 흙을 덮어 무덤을 완성함.
㉠( )	㉡( )	㉢( )	㉣( )

2. 세 나라와 가야의 고분이 시기별로 어떻게 변했는지 알아보자.

	고분의 변천 과정
고구려	㉠( )(장군총) → 굴식 돌방무덤(강서 고분)
백제	돌무지무덤(석촌동 고분) → 굴식 돌방무덤 → ㉡( )(무령왕릉, 중국 남조 영향 받음.) → 굴식 돌방무덤(능산리 고분, 사비 천도 이후)
신라	널무덤 → ㉢( )(천마총) → 굴식 돌방무덤
가야	널무덤, 덧널무덤 → 구덩식 돌덧널무덤

⊞ 삼국 및 가야의 대외 교류

1. 빈칸을 채우거나 해당 국가의 이름을 쓰며 삼국과 가야의 해외 교류에 대해 알아보자.

中국과의 교류

- **고구려**
  - 중국 ㉠(   )쪽 나라들과 교류함.

- **백제**
  - 해상을 통해 중국 ㉡(   )쪽 나라와 교류함.

- **신라**
  - 초기에는 고구려와 백제 통해 중국 문물 수입
  - ㉢(   ) 차지 후 당과 직접 교류 시작함.

서역과의 교류

- **삼국과 서역 교류의 증거**
  - 우즈베키스탄 사마르칸트 궁전의 ㉣(   ) 사람들 벽화
  - 서역 출신 사람들의 씨름 벽화(지린성 고구려 각저총)
  - 수박도(황해도 안악 3호분)
  - 서아시아 유리잔과 뿔잔, 로마나 이집트 보검(신라 고분 출토)
  - 유라시아 지역의 청동 솥(김해 가야 유적지)

일본과의 교류

- 아직기와 왕인, 천자문과 논어 가르침 ㉤(   ).
- 노리사치계, 불상과 불경 전달(백제)
- 혜자: 쇼토쿠 태자의 스승(고구려)
- 담징: 호류사 금당벽화 그림 ㉥(   ).
- 많은 화가가 건너감(고구려).
- 토기 만드는 법, 제철 기술 전수 ㉦(   )
⇒ 삼국의 문화가 전파되며 일본의 아스카 문화 발달

그 당시 세계는?

삼국과 가야가 건국 이후 서로 경쟁하며 발전해 가는 수백 년 동안 중국은 한나라에 이어 위진 남북조 시대가 이어졌다. 나관중의 소설 《삼국지연의》에 등장하는 위, 촉, 오, 세 나라가 등장하는 때가 이 시기이다. 370여 년간 계속된 위진 남북조 시대의 혼란을 수가 끝내고 통일했지만 30여 년 만에 무너지고, 7세기, 중국은 당의 시대가 열렸다.

1. 고구려, 백제, 신라는 모두 역사서를 편찬했다. 역사서 편찬이 어떻게 왕실의 위엄을 높이고 국가에 대한 백성의 충성심을 높이는 역할을 했을지 아래 질문들을 참고하여 짐작해 보자.

> • 고구려 영양왕 때는 태학박사 이문진이 그전까지 내려오던 역사서 《유기》를 5권으로 압축해 《신집》을 펴냈다.
> • 백제 근초고왕은 역사박사 고흥에게 백제 역사서 《서기》를 쓰게 했다.
> • 신라에서는 거칠부가 《국사》를 편찬했다.

역사서는 왕의 명령으로 편찬됐겠지? 왕은 어떤 내용을 담도록 지시했을까?

그런 내용이 담긴 역사서를 본 백성들은 어떤 생각이 들까?

2. 〈보기〉를 참고하여, 백제의 무령왕릉이 당시 동아시아의 활발한 문화 교류 사실을 보여 준다고 하는 이유를 설명해 보자.

─── 보기 ───
• 금송   • 도자기

01. 다음 설명에 해당하는 사진을 찾아 기호를 쓰고, 그 이름을 〈보기〉에서 찾아 쓰시오.

1) 백제 최초의 탑으로 목탑 양식으로 만들어졌다.

2) 고구려의 불상이지만 신라 땅에서 발견된 불상이다.

3) '백제의 미소'라는 별명이 붙은 불상이다.

4) 신라의 탑으로 벽돌 모양으로 다듬은 돌로 만들어졌다.

5) 9개 나라를 제압하기를 바라며 지은 것으로 선덕 여왕 때 지어졌다.

6) 일본 고류사의 목조상과 매우 흡사하여 삼국 시대 문화가 일본에 전해졌음을 알 수 있다.

ㄱ   ㄴ   ㄷ

ㄹ   ㅁ   ㅂ

┤ 보기 ├
- 금동 연가 7년명 여래 입상
- 미륵사지 석탑
- 분황사 모전 석탑
- 황룡사 9층 목탑
- 마애 여래 삼존상
- 금동 미륵보살 반가 사유상

02. 다음 고분에 대한 설명 중 옳은 것은?

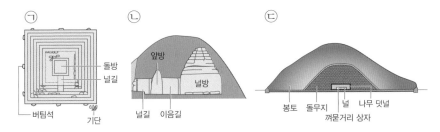

① 만들어진 시기로 보았을 때 ㉠-㉡-㉢ 순이겠군.

② ㉠은 한반도 남쪽 지역에 대부분 분포하는 고분 양식이야.

③ ㉡에서 많은 벽화가 출토되었다고 해.

④ ㉠은 삼국 중 고구려만의 독특한 고분 양식이야.

⑤ 백제 무령왕릉은 ㉢의 양식으로 지어졌지.

03. 오른쪽 사진의 향로에는 (㉠)의 영향을 받은 흔적이 곳곳에 남아 있다. ㉠에 대한 설명으로 옳지 않은 것은?

① 고구려 강서 대묘에서 발견된 사신도도 같은 영향을 받았다.

② 영원히 늙지 않고 오래 살기를 바라는 도교 사상이 평민들 중심으로 확산했다.

③ 특히 고구려와 백제에서 유행했다.

④ 신선을 숭배하거나 자연을 중하게 여겼다.

⑤ 상상 속의 동물들이 많이 등장한다.

04. 다음 중 삼국과 가야의 대외 교류에 대한 설명으로 옳은 것만 고르면?

> ㄱ. 고구려의 아직기는 일본에 거문고를 전해 주었다.
>
> ㄴ. 백제의 노리사치계는 일본에 불경과 불상을 전달했다.
>
> ㄷ. 가야 유적지에서 발견된 청동 솥을 통해 일본과 활발한 교류가 있었음을 알
> 수 있다.
>
> ㄹ. 고구려의 승려 혜자는 일본 태자의 스승이 되었다.
>
> ㅁ. 신라의 고분에서는 유리구슬, 유리잔 등 서역과 교류한 사실을 알 수 있는 유
> 물들이 출토되었다.
>
> ㅂ. 고구려 사신들의 모습이 그려진 벽화가 우즈베키스탄의 궁전에서 발견되었다.

남북국 시대의
전개

: 남북에서 두 나라가 성장하다

신라의 삼국 통일과 발해의 건국

📖 민족 문화 발전의 토대를 만들다

책을 읽기 전에

🌐 5장에서 알아두어야 할 내용을 생각하며 다음 안내를 읽어 보자.

- 6~7세기 수와 당에 대한 고구려의 항쟁 과정을 이야기해 보세요.
- 백제와 고구려의 멸망 과정과 부흥 운동에 대해 이야기해 보세요.
- 신라의 대당 전쟁과 삼국 통일의 의의 및 한계를 설명해 볼까요?
- 통일 신라 시대가 아니라 남북국 시대가 올바른 표현인 이유를 설명해 보세요.

책을 읽으며

1. 신라의 삼국 통일과 발해 건국 과정에서 중요하다고 생각하는 내용에 밑줄 쳐 보자.

2. 부분별로 읽은 내용을 생각하며 빈칸을 채워 보자.

　🅱 중국의 수가 멸망한 이유는?: 수의 침략과 살수 대첩

　1) 6세기 중반 (　　　)는 한강 유역을 (　　　)로부터 빼앗았고 덕분에 중국과 직접 교류할 수 있었다. 반면에 큰 손해를 보게 된 백제는 북으로는 (　　　　), 남으로는 (　　)와 손잡고 신라를 압박했다.

2) 중국에서는 (   )가 위진 남북조 시대를 끝내고 통일한 후 세력을 확장하기 시작하며 (   )에 큰 위협이 되었다. 고구려는 수에 맞서기 위해 (   )과 손잡고 백제, 왜와 '남북 세력'을 만들었다.

3) 신라는 (   )의 협공에 수에 도움을 요청하면서 (   )로 연결된 '동서 세력'이 되었다.

4) 고구려는 복속을 요구하는 수를 거절하고, 영양왕이 말갈족과 함께 (   ) 지방을 먼저 공격했다. 수는 큰 피해를 보았고, 수의 (   )는 30만 대군을 동원해 고구려를 침략했지만, 성과를 거두지 못했다.

5) 7세기 초 수 (   )도 113만 대군을 이끌고 요동성을 수차례 공격했지만 함락시키지 못하고, 30만 별동대를 꾸려 (   )을 공격했다.

6) 고구려의 (   )은 수의 별동대를 상대로 청야수성 작전을 펼쳤고 거짓 항복을 하며 수의 군대가 철수하도록 했다. 수의 별동대가 살수를 건너는 중 공격해 큰 승리를 거두었다. 이것이 (   )이다.

🅑 안시성 전투 승리의 의의는 무엇일까?: 당의 침략과 안시성 전투

1) 수의 뒤를 이은 (   )은 건국 초기에는 (   )와 우호적으로 지냈다.

2) 당의 2대 황제인 태종은 내부 정비가 끝나자 주변 민족들을 정복하여 영토를 확장했고, 고구려는 당의 침략에 대비해 (   )을 쌓았다.

3) (   )은 정변을 일으켜 권력을 장악하고 당과 신라에 대해 적대적이었다. 당 태종은 연개소문을 제거하고 고구려를 정복하기 위해 7세기 중반 (   )를 침략했다.

4) 당의 군대는 고구려의 현도성, 요동성 등을 차례로 무너뜨렸지만, 평양성으로 가는 길목인 (   )은 뚫지 못했다. 이후에도 수차례 공격했지만 성주인 양만춘과 백성들에 의해 패배하고 돌아갔다.

5) 고구려가 수, 당과의 전쟁에서 승리를 거둘 수 있었던 것은 (   ) 전술과 튼튼한 (   ) 덕분이었다. 또 나라를 지키겠다는 고구려인들의 강인한 의지가 승리의 원동력이었다.

🅑 백제 멸망 후 왜선이 금강에 나타난 까닭은?: 백제의 멸망과 부흥 운동

1) 7세기 중반 고구려와 백제는 힘을 합쳐 (   )를 압박했다. (   )의 군대는 신라를 공격해 대야성을 비롯한 40여 개의 성을 빼앗았고, 신라에서 당으로 가는 길목인 (   )을 공격했다.

2) 백제의 공격이 거세지자 신라는 왜와 고구려에 도움을 요청했지만 거절당했고, (   )으로 건너가 (   )을 체결했다. 당은 신라에 군대 지원을 약속했고, 신라는 삼국 통일 후에 대동강 이북의 고구려 영토를 주기로 약속했으며, 당의 제도와 문화를 적극적으로 수입하기로 했다.

3) 신라와 당이 동맹을 맺자 고구려와 백제도 (   )을 맺었다. 이 밖에도 고구려는 북방의 유목 민족과, 백제는 왜와의 관계를 강화했다.

4) 고구려가 당과 전쟁을 벌이던 즈음, 백제는 의자왕을 비롯한 지배 세력이 단결하지 못해 혼란스러웠다. 결국 신라와 당의 (   )이 기벌포로 쳐들어왔을 때 패배했고, 계백이 이끄는 결사대는 (   )에서 김유신이 이끄는 신라군에 패했다.

5) 나당 연합군이 백제 수도인 (　　　　　)을 함락하며 백제는 멸망했다. 당은 백제 영토를 지배하려는 속셈으로 (　　　　　　　　)를 설치했다.

6) 백제가 멸망한 후 (　　　)과 (　　　)은 주류성에서 백제 부흥 운동을 시작했고, 왜의 지원군과 함께 금강 하구에서 나당 연합군과 여러 차례 전투를 벌였다. (　　　　　　)도 임존성을 장악하여 백제 부흥 운동을 벌였지만 (　　　) 군의 공격에 성이 함락되고 말았다.

🔘 당이 고구려를 쉽게 정복하지 못한 까닭은?: 고구려의 멸망과 부흥 운동

1) 백제가 멸망한 후 (　　)이 (　　　　　)를 공격했다. 하지만 (　　　　　　　)의 강력한 리더십과 백성들의 한마음으로 당은 고구려를 무너뜨릴 수 없었다. 나당 연합군도 고구려 앞에서는 맥을 못 추었다.

2) 연개소문 사망 후 아들들의 권력 다툼으로 고구려가 혼란스러워지자 (　　　　　) 이 고구려 성들을 공격해 점령하고 1년 만에 (　　　　)까지 함락했다. 당은 고구려를 지배할 속셈으로 (　　　　　　)를 설치했다.

3) 고구려 멸망 후 (　　　　　)은 한성에서 부흥 운동을 벌였다. 하지만 왕으로 추대된 안승이 검모잠을 죽이고 (　　　)에 항복했다. 요동 지방에서도 고연무가 부흥 운동을 이끌었지만 실패했다.

4) 당은 대동강 이북 땅만 갖기로 한 약속을 깨고 (　　　　　　　　)를 지배하려는 속셈으로 고구려와 다투던 때에 신라에 (　　　　　　　　)를 설치했다.

🔘 고구려 유민이 익산에 세운 나라 이름은?: 삼국 통일의 의의와 한계

1) 신라의 (　　　　　)은 당의 횡포를 참을 수 없었고, 고구려 유민을 받아들여 당에 맞섰다.

2) 신라군은 사비성을 점령하고 있던 당의 군대를 직접 몰아냈다. 당의 20만 대군을
(   )에서 격파하고, 서해 (   )로 쳐들어온 당의 수군도 격파했다.
당의 군사들이 물러나고 신라가 마침내 (   )을 이루었다.

3) 신라의 삼국 통일 이후 영토가 (   )~(   ) 이남으로 줄었고, 북쪽
의 고구려 영토를 잃었다. 하지만 고구려, 백제 유민과 신라가 힘을 합쳐 외세인
당을 몰아낸 자주적 통일이라고 볼 수 있다.

🅑 발해가 독자 연호를 쓴 까닭은?: 발해의 건국

1) (   )가 멸망한 뒤 고구려의 많은 지배층이 (   )에 끌려갔다. 그 무렵 요하
지역에서는 당의 지배에 반발한 여러 민족이 반란 조짐을 보이고 있었다.

2) 7세기 말 (   )이 당에 반란을 일으켰다. 혼란스러운 기회를 노려 요하 지
방에 있던 고구려 유민 (   )이 탈출하여 말갈인들과 힘을 합쳐 요동 북동
쪽 지방에서 당군을 물리쳤다.

3) 대조영은 동모산에서 (   )를 세웠다. 이 무렵 남쪽에는 (   )가
강력한 중앙 집권 국가를 건설해, 남쪽의 신라, 북쪽의 발해가 나란히 발전하는
(   )가 시작되었다.

4) 발해는 9세기 전반에 서쪽의 (   )에서부터 동쪽의 (   )에 이르는 광
대한 영토를 지배했다. 신라가 삼국을 통일하는 과정에서 잃어버린 고구려의
옛 영토를 거의 회복했다. 당에서는 발해를 '바다 동쪽에 있는 융성한 나라'라며
(   )이라 불렀다.

5) 발해가 우리 역사라는 사실은 명백하다. 첫째, 발해의 왕들은 스스로 고구려 국왕
이라 칭하면서 (   )를 계승했다는 점, 둘째, 발해를 실질적으로 지배한 사

람들은 고구려 유민들이었다는 점, 셋째, 독자 (   )를 썼다는 점, 넷째 난방 장
치를 비롯해 고구려를 계승한 것이 많다는 점에서 확인할 수 있다.

3. 삼국이 통일되는 과정에서 맺어졌던 동맹 관계를 메모하고 스스로 설명해 보자.

💡 5장 내용을 한눈에 정리해 보자.

🅱 삼국 통일 과정을 한눈에

1. 빈칸을 채우며 신라가 6~7세기에 걸쳐 백제와 고구려를 멸망시키는 과정을 알아보자.

시기	상대국	과정	결과
6세기 중반	백제 대 신라	• 신라가 백제로부터 ㉠(　　　)빼앗음.	백제가 ㉡(　　　), 왜와 손잡음.
6세기 말	고구려, 백제 대 신라	• ㉢(　　　) 세력(고구려, 백제, 돌궐, 왜)과 ㉣(　　　) 세력(신라, 수) 형성됨.	동북아시아에 전쟁의 기운 감돌기 시작함.
6세기 말~ 7세기 초	고구려 대 수	• 수 문제 고구려 침입 • 수 양제 2차에 걸쳐 고구려 공격	• 성과 없이 돌아감. • 1차: ㉤(　　　)대첩 • 2차: 화친조약 맺고 돌아감. 　⇒ 수, 멸망함.
7세기 중반	고구려 대 당	• 당 태종 고구려 침략 • 여러 차례 고구려 침략함.	• ㉥(　　　) 전투에서 당 물리침. • 고구려 모두 막음.
7세기 중반	고구려, 백제 대 신라	• ㉦(　　　) 군대가 신라 공격함. 　– 대야성 등 40여 개 성 빼앗음. • 백제, 고구려 연합해 신라 당항성 공격함.	• 신라, ㉧(　　　)과 동맹 맺음. • 고구려와 백제 강도 높여 동맹 맺음.
7세기 후반	백제 대 나당 연합군	• 당 군대 기벌포로 쳐들어옴. • 김유신의 신라군 ㉨(　　　)에서 계백의 백제군과 격돌함. • 나당 연합군, ㉩(　　　) 함락함.	• 백제 멸망(660년)

7세기 후반	백제 부흥군 대 나당 연합군	• 백제 되살리려는 운동 일어남. – 복신과 도침, 흑치상지 나당 연합군과 전투 벌임.	• 부흥 운동 실패함(663년).
7세기 후반	고구려 대 나당 연합군	• 당, 신라 각각 고구려 공격했으나 실패함. • ㉠(　　　　　) 사망 후 혼란을 틈타 다시 고구려 공격함.	• ㉢(　　　　) 함락되며 고구려 멸망(668년)
7세기 후반	고구려 부흥군 대 나당 연합군	• 고구려 되살리려는 운동 – 검모잠: 한성에 부흥 운동 • 고연무: 요동에서 부흥 운동	• 안승이 검모잠 죽이고 신라에 항복함. • 실패함.

나당 전쟁

1. 순서대로 번호를 붙이며 신라가 삼국 통일을 이루기 위해 당나라 군대를 몰아내는 과정을 정리해 보자.

1		
당이 백제 땅에 웅진 도독부, 신라 땅에 계림 도독부 설치함. 고구려 땅에 안동 도호부 설치함.	매소성, 서해 기벌포에서 당의 군대 격파함.	문무왕이 받아들인 고구려 유민들이 당군에 맞서 싸움.

	6	
사비성 점령한 당나라 군대 몰아냄.	신라, 삼국 통일 이룸. (676년)	당, 안동 도호부를 요동 지방으로 철수시킴.

신라의 삼국 통일, 한계와 의의

1. 빈칸을 채우며 신라의 삼국 통일에 대한 상반된 입장을 바탕으로 통일의 한계와 의의를 알아보자.

(신라 통일의 한계)	(신라 통일의 의의)
신라가 ㉠(　　　)를 끌어들여 통일을 이룬 것은 잘못이다. 그로 인해 북쪽의 고구려 영토를 모두 잃고 ㉡(　　　　) 이남으로 줄어든 것은 안타까운 일이다.	신라의 통일은 고구려·백제 유민과 힘을 합쳐 외세를 몰아내고 이룩한 최초의 ㉢(　　　)이다. 이 통일을 통해 고구려-백제-신라 문화가 ㉣(　　　)되어 민족 문화의 토대가 만들어졌다.

고구려 유민들의 발해 건국, 남북국 시대의 시작

1. 〈보기〉에서 알맞은 내용을 찾아 완성하며 발해의 건국과 이후 상황까지 간단히 정리해 보자.

- 고구려 멸망 후 고구려의 많은 지배층이 강제로 끌려가 당의 지배를 받음.
- ㉠(　　　), 거란인도 당의 지배 받음.

▶

- 거란족이 당에 반란 일으킴.

▼

- 고구려 유민 ㉡(　　　)이 탈출해 ㉠(　　　)과 힘을 합쳐 요동 북동쪽 지방에서 당군 물리침.

▶

- ㉡(　　　), ㉢(　　　)에서 발해를 세움(698년).
- 서쪽의 요동~동쪽 연해주에 이르는 광대한 영토 지배함(9세기).
- ㉣(　　　)이라 불림.

보기
·말갈인　·동모산　·대조영　·해동성국

5세기부터 중세 봉건 시대로 접어든 유럽에서는 왕이 제후들에게 토지를 나누어 주고 봉신으로 삼고, 봉신은 왕에게 충성을 서약하는 봉건제가 시작되었다. 제후나 기사들이 받은 봉토는 자급자족의 농촌 공동체인 장원 형태로 운영되었다. 장원의 우두머리인 영주의 성은 장원 한가운데에 자리 잡고, 시장, 방앗간 등 생활 시설도 모두 장원 안에 있었다. 장원에 사는 농민 대부분은 '농노'라고 불리며 노예와 다름없는 생활을 했다.

1. 고구려가 계속되는 수·당의 침략으로부터 나라를 지켜 냈다는 것은 삼국의 역사에 어떤 의의가 있을지 짐작해 보자.

만약 고구려가 전쟁에 졌다면 역사는 어떻게 바뀌었을까?

2. 발해의 역사를 중국이나 다른 나라 역사라고 주장하는 아래 사람들에 대해 <u>구체적인 근거를 들어</u> 반박해 보자.

발해는 다른 나라(중국 또는 시베리아 민족이나 말갈족)의 역사다.	발해는 우리의 역사다.
1) 발해는 당에 조공을 바치고 정치적으로 당에 복속되었던 나라로 중국의 역사로 보아야 한다.	
2) 발해는 지금의 시베리아 민족 중 하나인 말갈족이 세운 역사로 러시아의 역사로 봐야 한다.	

01. 다음 중 6세기 후반 동북아 정세에 대한 설명으로 옳은 것은?

① 발해의 등장으로 나당 연합군이 결성되었다.

② 백제와 왜가 연합하여 신라를 위협했다.

③ 고구려는 신라, 돌궐과 연합하여 수에 맞섰다.

④ 백제는 수, 고구려, 왜와 함께 남북 세력을 결성했다.

⑤ 중국에서는 남북조 시대를 끝내고 당이 통일하였다.

02. 오른쪽 지도에서 있었던 전투에 대한 설명으로 옳지 않은 것은?

① 수 양제는 30만 별동대를 편성하여 고구려를 침략했다.

② 고구려는 거짓 항복을 하여 수 군대를 유인해 승리하였다.

③ 을지문덕 장군이 수나라의 장수에게 보낸 시가 지금까지 전해진다.

④ 고구려는 청야수성 전략으로 버텼다.

⑤ 이 전투로 연개소문이 천리장성을 쌓았다.

실력 키우기

03. (가)시기에 있었던 사실로 옳은 것은?

황산벌에서 김유신 장군이 이끄는 신라군이 계백 장군의 백제군을 물리쳤다.	(가)	흑치상지는 임존성에서 백제 부흥 운동을 벌였다.

① 김춘추는 당 태종과 동맹을 체결했다.

② 당은 백제 영토에 웅진 도독부를 설치했다.

③ 왕족이었던 안승을 모셔와 유민들을 적극적으로 받아들였다.

④ 소정방이 이끄는 당 군대가 기벌포에 도착했다.

⑤ 신라와 백제, 고구려 유민들이 힘을 합쳐 당 세력을 몰아냈다.

04. 다음은 발해의 건국 과정이다. 빈칸에 알맞은 말을 넣으시오.

> 당에 잡혀 있던 고구려 유민 (㉠   )은 추격해 오던 군대를 물리치고 계루부의 고향인 (㉡   )에 나라를 세웠다. 이 나라가 발해이다. 발해는 고구려의 옛 영토를 거의 회복해 당으로부터 "바다 동쪽에 있는 융성한 나라"라는 뜻의 (㉢   ) 이라 불리기도 했다.

05. 다음 중 발해에 대한 설명으로 옳지 <u>않은</u> 것은?

① 건국한 세력 중 대부분이 고구려인이었다.

② 대조영을 비롯한 고구려 유민이 지배층이었기 때문에 주변 나라의 역사서에도 발해는 고구려 사람이 세운 나라로 적혀 있다.

③ 발해 왕들은 스스로 고구려 국왕이라고 칭했다.

④ 중국과는 다른 독자적인 연호를 사용했다.

⑤ 우리 민족 고유의 문화라 할 수 있는 온돌을 사용했다.

Chapter 06 남북국의 발전과 변화

📖 신라와 발해, 이름을 떨치다

책을 읽기 전에

🌐 이번 장에서 기억해야 할 내용은 무엇일지 안내하는 내용과 부분별 제목을 훑어 보며 단어나 어구에 ○해 보자.

- 통일 신라의 왕권 강화 정책과 그로 인한 변화를 설명해 보세요.
- 발해가 해동성국으로 불리게 된 과정을 설명해 보세요.
- 통일 신라 말기에 호족의 등장과 이에 따른 변화를 이야기해 보세요.
- 후삼국이 성립하는 과정과 발해 멸망 이후의 부흥 운동에 대해 설명해 보세요.

책을 읽으며

1. 8~9세기에 걸쳐 진행된 남북국의 발전과 변화에 대한 내용을 읽으며 중요하다고 생각하는 부분에 밑줄 쳐 보자.

2. 부분별로 읽은 내용을 생각하며 빈칸을 채워 보자.

🔁 화백 회의가 약해진 까닭은?: 통일 신라의 왕권 강화와 체제 정비

1) 태종 (   )은 삼국 통일의 기초를 놓았고, (   )은 삼국 통일을 달성 했다. 이후 고구려와 백제 유민을 모두 껴안고 그들도 중앙 정부의 관리로 임명하 여 모든 백성을 통합하려 했다.

2) (　　　　　)은 (　　　　)들의 반란을 진압 후 왕권 강화를 위해 개혁에 돌입했다. 나라를 통치한 기간은 12년에 불과하지만 통일 신라를 강력한 (　　　　　　　) 국가로 만드는 데 성공했다.

3) 신문왕은 왕의 직속 기구인 (　　　　　　)의 역할을 강화하고, 밑으로는 10여 개의 관청을 두었다. 이 기구의 우두머리인 (　　　　)와 함께 국가의 중요한 일을 논의했다.

4) 집사부와 중시의 권한이 강해지면서 (　　　　)들이 반발했지만 신문왕이 반대하는 이들을 숙청하자, (　　　　　　)와 (　　　　　)의 권한이 크게 약해졌다. 신라의 중앙 정치 조직이 (　　　)을 중심으로 바뀐 것이다.

5) 신문왕은 전국을 (　　　)로 나누고 (　　　　)이라는 지방관을 파견했다. 주 밑으로는 군, 현을 두어 (　　　　)라는 지방관을 파견했다. 또 군, 현 밑의 촌에는 토착 세력에서 (　　　)를 임명하고 해당 지역을 다스리도록 했다.

6) 촌주의 권력 남용을 막기 위해 일정 기간 (　　　)에 머무르게 했는데, 이를 (　　　　)라 한다.

7) 신문왕은 9주와 별도로 (　　　　　)을 설치했다. 이곳에는 신라 귀족은 물론 고구려, 백제, 가야 출신의 귀족들을 이주시켜 도시를 건설해 살도록 하여 각각의 유민들이 서로 융화하면서 지방 세력까지 견제하는 효과를 거두었다.

8) 신문왕은 군사 조직도 정비했는데, 중앙군은 (　　　　　)이라 불렀고, 수도를 경비했다. 신라 출신뿐 아니라 고구려, 백제, 말갈 출신을 고루 뽑았다. 지방군은 (　　　)으로 각 주마다 1정씩 배치해 그 지역의 치안까지 담당하도록 했다. 단 북방의 국경 지대인 한주는 2정을 배치했다.

9) 신문왕은 귀족들을 억누르기 위해 (　　　)을 폐지하고 관리들에게 (　　　　　)
을 주었다. 또한 8세기 초 성덕왕은 2차 토지 개혁을 통해 16~60세까지의 농민에
게 (　　　)이라는 토지를 주었다.

10) 신문왕은 국왕 친위 부대인 시위대를 강화했고, 교육 기관인 (　　　)을 설치해
인재를 육성했다. 이들 대부분은 (　　　　)으로 신라가 혼란에 빠질 때도 신라
를 끝까지 구하기 위해 애썼다.

㉧ 발해가 당과의 대결을 끝낸 이유는?: 발해의 정치 체제 정비 및 성장

1) 8세기 초 (　　　)이 발해의 세력을 (　　　　　) 일대로 확장하자 (　　)은 흑수 말
갈을 끌어들이고 신라를 포섭해 대결하게 했다. 발해는 이에 맞서기 위해 돌궐, 일
본과 손잡았다.

2) 무왕이 흑수 말갈을 치고 당의 등주를 공격한 것이나 (　　　)이란 독자 연호를 사
용한 것은 모두 발해를 중국의 (　　)과 대등한 나라로 인식했다는 증거이다.

3) 8세기 후반 발해는 문왕이 추진한 개혁이 성공하고 눈부신 속도로 성장했다. 당
과 우호적으로 지내며 당의 중앙 정치 조직인 (　　　　　)제를 받아들여 발
해의 현실에 맞게 변형했다. 또한 당의 교육 기관인 국자감을 발해 방식에 맞추어
(　　　　)으로 바꾸고 귀족 자제들을 교육했다.

4) (　　　)은 지방 행정 조직도 개편했는데, 가장 중심이 되는 수도인 (　　　　)
외에 중경 현덕부, 동경 용원부를 두었다. 수도 3경 외에 전국을 부-주-현 단위로
정비하였다.

5) 발해의 군사 조직은 중앙군으로 (　　　　)를 두어 왕궁과 수도를 정비했으며, 각
지방에는 따로 지방군을 두었다.

6) 9세기 초반 (   ) 시절 발해는 대대적으로 영토를 확장했다. 흑수 말갈을 제압하고 (   ) 지방으로 영토를 넓혀 고구려 전성기 시절의 영토를 거의 되찾았다. 지방 행정 조직을 정비해 (   )를 확정했다.

7) 선왕 시절 발해는 최대의 영토를 자랑했고, 문화도 발전했다. 이때 당은 발해를 '동쪽에서 융성하는 나라'라는 뜻의 (   )이라 불렀다.

🜨 왕 한 명당 통치 기간이 평균 7년 6개월: 귀족들의 권력 투쟁과 농민 봉기

1) 고려 시대에 편찬된 《삼국사기》에서는 신라를 세 시기로 나눈다. 신라 시조 (   ) 때부터 28대 진덕여왕까지의 770여 년이 상대에 해당한다. 신라만의 독특한 신분 제도인 (   )가 확립된 시기이며, (   )만이 왕에 오를 수 있었던 시기였다.

2) 통일 전쟁을 지휘한 29대 태종 무열왕부터 36대 혜공왕까지 약 120여 년은 중대로, 삼국 통일 직전부터 통일 직후 강력한 (   )이 구축되던 시기였다. (   )이 왕이 되었고, 태종 무열왕의 직계 자손들이 왕위를 이었다.

3) 37대 선덕왕 때부터 신라 마지막 왕인 56대 경순왕까지 약 150여 년은 하대로, (   )이 바닥으로 추락한 시기이며, 귀족들의 다툼이 심해지고 전국이 혼란에 빠진 시기였다.

4) 35대 경덕왕은 당과의 교류를 늘리고, (   )를 짓기 시작했다. 귀족들의 세력이 강해지면서 (   )을 부활시키기는 했지만, 통일 신라가 문화의 전성기를 누린 시기였다.

5) 36대 혜공왕은 어린 나이에 왕이 되어 어머니가 대신 섭정을 했다. 이때부터 귀족들의 권력 다툼이 심해지면서 (   )이나 (   )이 자주 바뀌었고, 권력은 (   ) 귀족에게 집중되었다.

6) 38대 원성왕은 유교 경전을 잘 이해하는 국학 재학생을 뽑아 관리로 임명하는
(   )를 실시했지만, 어수선한 정치 상황에서 성공적으로 정착하지
는 못했다.

7) 원성왕이 왕위에 오르는 과정에서 태종 무열왕의 혈통인 웅주 도독 (   )
이 반란을 일으켜, 한때는 신라 전체의 3분의 1 정도를 차지할 만큼 세력이 막강했
지만 결국 실패로 끝났다.

8) 9세기 말 진성 여왕은 (   )에서 유학을 마치고 온 (   )의 (   )를 받
아들여 그에게 개혁의 지휘를 주었지만, 귀족들의 극심한 반발에 개혁은 실패했다.

9) 귀족들의 권력 다툼이 심해지면서 (   )이 부활하고, 귀족들은 토지를 확보해
대농장을 만들어 농민들을 수탈했다. 또한 자연재해가 겹치면서 농민들의 생활은
더욱 힘들어져 도적이 되거나 노비로 전락하는 농민들이 생겨났다.

10) 최초의 대규모 농민 봉기는 사벌주에서 일어난 (   )이
었다. 이 봉기를 시작으로 전국 각지에서 농민 봉기가 터졌다.

🅑 어떤 사람이 호족이 됐을까?: 호족의 등장과 선종의 유행

1) 왕이나 귀족이 모두 타락하고 (   )가 잇달아 일어났지만 중앙 정부
는 아무것도 하지 못했다. 하지만 지방의 귀족인 (   )들은 오히려 중앙 정부
가 지방을 통제하지 못하여 세력을 키우기에 좋은 기회였다.

2) 호족은 자신을 (   )나 (   )으로 불렀으며, 중앙 정부의 왕과 다름없는 권
력을 누렸다. 자신의 힘이 미치는 지역에 독립된 나라처럼 튼튼하게 성을 쌓았고,
군대를 육성해 외부 침략에 대비했으며 백성에게 세금을 거두었다.

3) 호족의 세력이 급성장하면서 불교의 양상도 달라졌다. 신라 시대 불교는 크게 교종과 선종 두 종파로 나눌 수 있다. (   )은 중앙 귀족들이 후원했으며, (   )과 (   ), 부처님 말씀을 중요하게 여겨 위엄을 갖춘 사찰과 부처의 사리를 모신 탑도 세워졌다. 반면 (   )은 경전보다는 (   )을 강조하기 때문에 형식을 덜 중요하게 여기며 (   )의 처지를 대변해 주고 있었다.

4) 호족의 지원을 받아 신라 말기 전국 여러 곳에 선종 사찰이 만들어졌는데, 대표적인 9개 종파를 선종 (   )이라 했다.

5) 호족들은 중국에서 시작되어 풍수, 즉 산이나 하천 같은 자연의 생김새가 인간의 삶에 영향을 미칠 수 있다는 이론인 (   )을 반겼다. 신라 하대의 (   )이 체계화하면서 널리 보급되었다.

6) 미륵이 나타나 중생을 구제하고 새로운 세상을 열 것이라는 믿음인 (   )도 유행했다.

⑧ 궁예는 왜 폭군이 되었을까?: 후삼국의 성립

1) 신라 말기 호족들은 새 나라의 건국을 꿈꾸며 반란을 일으켰고 가장 두드러진 인물이 (   )과 (   )였다.

2) 견훤은 남서 해안을 지키는 장수였지만 스스로 세력을 키웠고, 그 지역의 해상 세력과 힘을 합쳤다. 무진주를 기반으로 삼아 (   ) 지역을 장악하고 (   )에 (   )를 건국했다.

3) 견훤은 당의 빈공과에 합격한 (   ) 최승우를 영입해 통치 체제를 정비했으며, 중국, 일본과 외교 관계를 맺었다. 또한 전라도, 충청도는 물론, 경상도 서부 지역까지 장악하여 (   )의 옛 영토를 거의 회복했다.

4) 궁예는 신라 왕족 출신의 승려로 양길의 부하가 된 후 세력을 키웠고, 많은 호족과 백성들의 지지를 얻어 (   )에 (   )를 건국했다.

5) 후고구려는 얼마 후 수도를 (   )으로 옮기고 나라 이름도 마진으로 바꾸었다가 다시 태봉으로 바꾸었다. 궁예는 강력한 중앙 집권 체제를 구축하려 했지만, 호족들과 갈등이 커졌고, 폭군으로 돌변했다. 결국 대신들은 반란을 일으켜 궁예를 몰아냈고, 후고구려의 2인자였던 시중 (   )이 새로운 왕이 되었다.

6) 왕건은 왕에 오른 후 (   )를 계승하겠다며 나라 이름을 (   )로 정했다.

🅑 발해의 정신은 완전히 사라졌을까?: 발해의 멸망

1) 선왕 때 발해는 절정기를 맞았지만, 선왕이 사망한 후 귀족과 왕족들의 권력 다툼이 심해져 급격히 내리막길을 타다 (   )에 의해 멸망했다.

2) 발해가 멸망하면서 (   )가 우리 민족의 활동 무대에서 사라졌다. 발해의 마지막 왕 대인선은 발해 유민을 거느리고 (   )로 망명했고, 왕건은 그들을 기꺼이 받아들였다. 이후 발해의 정신은 고려 문화와 융합하여 민족 문화의 토대가 되었다.

3. 남북국 시대 신라와 발해의 공통점을 떠올려 보자.

🌐 6장 내용을 한눈에 정리해 보자.

🅑 남북국의 흥망성쇠

1. 남북국 왕들의 업적을 완성하며 7세기 말부터 9세기 초반까지 한반도 역사를 정리해 보자.

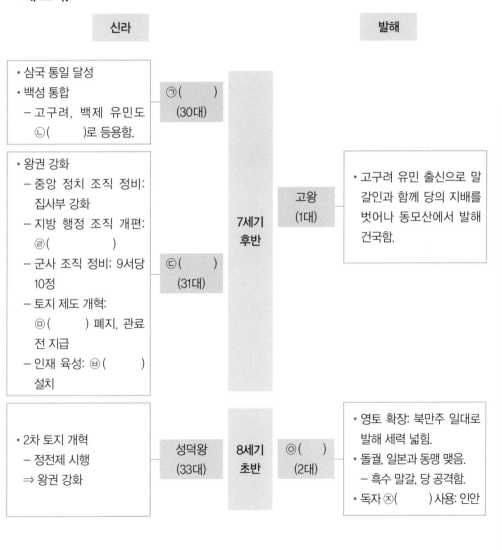

신라

발해

- 삼국 통일 달성
- 백성 통합
  - 고구려, 백제 유민도
    ⓛ(   )로 등용함.

ㄱ(   )
(30대)

- 왕권 강화
  - 중앙 정치 조직 정비:
    집사부 강화
  - 지방 행정 조직 개편:
    ⓔ(   )
  - 군사 조직 정비: 9서당
    10정
  - 토지 제도 개혁:
    ⓜ(   ) 폐지, 관료
    전 지급
  - 인재 육성: ⓗ(   )
    설치

ㄷ(   )
(31대)

**7세기
후반**

고왕
(1대)

- 고구려 유민 출신으로 말
  갈인과 함께 당의 지배를
  벗어나 동모산에서 발해
  건국함.

- 2차 토지 개혁
  - 정전제 시행
  ⇒ 왕권 강화

성덕왕
(33대)

**8세기
초반**

ⓞ(   )
(2대)

- 영토 확장: 북만주 일대로
  발해 세력 넓힘.
- 돌궐, 일본과 동맹 맺음.
  - 흑수 말갈, 당 공격함.
- 독자 ⓩ(   ) 사용: 인안

8세기
중반

ㅊ(   )
(3대)

- 개혁 정책 실시
  - 중앙 정치 조직 정비:
    ㉠(   )제 실시
  - 국립 대학 설립:
    ㉢(   )
- 지방 행정 조직 개편 시작함.
- 군사 조직: 10위, 지방군

- ㉣(   )들의 반발로
  녹읍 부활함.
  - 왕권 약화, 귀족들 권력
    투쟁 심해지기 시작함.
- 통일 신라 문화 전성기
  - 불국사 건축 시작

경덕왕
(35대)

8세기
후반

9세기
초반

ㅍ(   )
(9대)

- 전성기: 해동성국이라 불림.
- 영토 확장: 흑수 말갈 제압
- 지방 조직 정비 완성:5경
  15부 62주 완성

🅑 신라의 위기와 발해의 멸망

1. 8세기 중반 이후 왕권이 약해지면서 혼란 속에 위기를 겪는 신라의 하대 역사를 알아보자.

왕권 추락	• 귀족들의 다툼, 반란 심해지고 전국이 혼란에 빠짐. 　－ 김지정 반란: 혜공왕과 왕비 피살됨. 　－ ㉠(　　　　) 반란: 원성왕 왕위에 오르지 못할 위기 겪음. 　－ ㉡(　　　　): 왕위 쟁탈전에 뛰어들었다가 자객에게 피살됨. • ㉢(　　　) 여왕, 최치원의 ㉣(　　　　　　) 받아들여 개혁 시도했으나 귀족들의 반발로 실패함. • ㉤(　　　) 부활: 귀족들 대농장 만들어 농민 수탈
잦은 민란	• 세금 내기 힘든 농민들 들고 일어남. 　－ ㉥(　　　　　　)의 난: 사벌주에서 시작된 첫 번째 대규모 농민 봉기(889년) 　－ 적고적 농민군: 남서 지역에서 봉기해 경주 인근까지 쳐들어감.

호족은 어떤 사람?
세력 키운 촌주들, 군사력을 바탕으로 힘을 키운 장수들, 해상 세력, 지방으로 내려온 중앙 귀족들

지방 ㉦(　　　)
세력 성장

호족이 반긴 이론은?
풍수지리설(경주의 기운이 다했다는 주장)

대표적인 호족은?
견훤: 후백제 건국
궁예: 후고구려 건국

호족의 참모는 누구?
신라 개혁하려다 귀족의 반발에 실패한 6두품 출신 개혁가들

호족이 후원한 불교 종파는?
선종(형식이나 권위 타파 주장, 수양을 통한 깨달음 강조)

호족이 반긴 신앙은?
미륵 신앙(미륵이 나타나 중생을 구제하고 새로운 세상을 열 것이라는 믿음)

2. 호족의 반란으로 시작된 후삼국 중 후백제와 후고구려(고려)의 성립 과정을 정리해 보자.

	후백제	후고구려 → 고려
인물	㉠( )(장수 출신)	후고구려: ㉡( )(왕족 출신) 고려: ㉢( )(호족 출신)
지역	완산주에서 건국함(900년). – 지금의 ㉣( ) 지역	송악에서 건국함(901년). – 강원도, 경기도, ㉤( ) 일대
특징	– 6두품 최승우 영입 통치 체제 정비 – 막강한 군사력으로 백제 옛 영토 거의 회복함. – 중국, 일본과 외교 관계 유지	– 북원의 호족 양길의 부하로 있으며 세력 키우다 독립 선언함. – 신라의 골품제 비판 – 송악 호족 왕륭과 아들 왕건이 부하로 들어옴. – 철원으로 수도 옮긴 후 나라 이름 태봉으로 바꿈. 중앙 집권 체제 구축하려다 귀족들과 갈등 커짐. – 대신들의 반란으로 2인자였던 왕건이 새로운 왕으로 추대됨.

3. 다음 설명 중 밑줄 친 부분을 맞게 고치며 발해가 멸망하는 과정을 설명해 보자.

당시 중국에서는 ㉠수가 멸망하고 5대 10국의 혼란기가 시작되었다. 거란의 ㉡쿠빌라이가 부족을 통일하고, 중국 본토를 차지하기 전에 발해를 먼저 치기로 했다. 발해는 거란이 공격한 지 ㉢1년 5개월 만에 항복하며 멸망하고 말았다. 발해의 마지막 왕 대인선은 유민 수만 명을 거느리고 ㉣당으로 망명했다. 발해를 되살리려는 부흥 운동은 모두 실패로 끝났다.

이슬람교를 창시한 무함마드가 632년 세상을 떠난 후 이슬람 공동체는 '무함마드의 계승자'인 칼리프를 선출하는 과정에서 가문들의 대립이 이어졌다. 이후 무함마드의 혈통만이 칼리프 자격이 있다고 주장하던 종파인 시아파와, 능력과 자질이 있다면 무함마드의 혈통이 아니더라도 칼리프가 될 수 있다고 주장하던 수니파의 대립은 지금까지도 이슬람 세계의 갈등 요소가 되고 있다. 오늘날 이슬람교 신도의 90% 정도가 수니파에 속하고, 대표적인 시아파 국가는 이란이다.

1. 신라 말, 다음과 같은 상황에서 각 계층의 사람들은 어떻게 생각했을지 말 주머 니를 채워 보자.

> 왕권이 약해지자 중앙 귀족들의 왕위 쟁탈전은 더욱 노골적인 양상을 띠었다. 또한 자연재해와 기근이 빈번하게 일어났고 지방의 귀족들은 스스로 성주 또는 장군으로 부르며 지역 백성에 대한 지배력을 강화해 나갔다. 한편, 당나라에서 유학한 6두품 출신들은 신라를 개혁하기 위한 여러 제안을 했지만 받아들여지지 않았다.

· 중앙 귀족	
· 6두품	
· 일반 백성	

2. 신라와 발해의 통치 제도 중 피지배 계층의 불만을 줄이고 민족을 통합하기 위한 노력으로 볼 수 있는 것들을 쓰고 그 제도가 어떤 역할을 했는지 설명해 보자.

신라:

발해:

01. 오른쪽 행정 구역을 만든 왕의 업적으로 보기 힘든 것은?

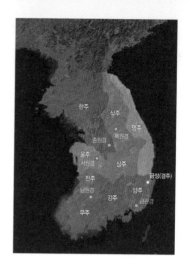

① 천민들이 거주하는 향, 부곡을 따로 두었다.

② 한주는 군사적으로 중요해 2정을 배치했다.

③ 수도가 동남쪽으로 치우쳐 있어 5개의 소경을 두었다.

④ 녹읍을 폐지하고 16~60세의 농민에게 정전을 지급했다.

⑤ 집사부의 기능을 강화하고 중시를 두어 국가의 일을 논의했다.

02. 다음 중 발해 무왕의 개혁 내용으로 적절한 것은?

① 당의 3성 6부제를 받아들여 발해의 독자적 체제로 발전시켰다.

② 흑수 말갈을 공격하고 당을 공격하였다.

③ 지방 행정 조직을 정비하여 태수를 파견하였다.

④ 인재를 양성하기 위해 국자감을 설치했다.

⑤ 당의 연호를 쓰지 않고 독자적 연호인 대흥을 썼다.

03. 다음에서 설명하는 인물의 이름을 쓰시오.

당에서 빈공과에 합격하여 뛰어난 문장으로 이름을 떨쳤다. 신라도 돌아와 진성 여왕에게 나라를 개혁할 시무 10조 개혁안을 제출하고 개혁을 시도하였으나 귀족들의 반발로 성공하지 못했다.

04. 아래 밑줄 친 왕의 업적으로 볼 수 있는 것만 고르시오.

당에서는 당시 최대 영토를 자랑했고 문화도 상당히 발전했던 이 나라를 '해동성국'이라고 불렀다. 이때의 왕은 발해의 전성기를 이끌었다는 평가를 받고 있다.

ㄱ 5경 15부 62주 완성   ㄴ 흑수 말갈과 연합해 당 공격
ㄷ 요동 지방으로 영토 확장   ㄹ 국립 대학 주자감 설치
ㅁ 발해 최대 영토 확장

05. 아래의 지도의 ㉠ ~ ㉣ 나라에 대한 설명 중 옳지 않은 것은?

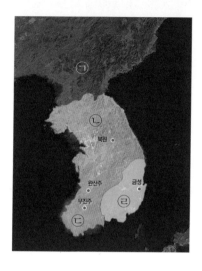

① ㉠은 왕족의 권력 다툼으로 국력이 약해져 거란의 공격을 막아내지 못하고 멸망했다.

② ㉡에서는 후고구려를 세웠던 궁예가 쫓겨나고 왕건이 권력을 잡아 나라 이름을 고려로 바꾸었다.

③ ㉢은 완산주에 도읍을 정한 견훤이 ㉡과 힘을 합쳐 ㉣에 대항하였다.

④ ㉣에서는 호족들이 실질적인 지배자가 되어 백성들의 삶이 더욱 피폐해졌다.

⑤ ㉣에서는 선종이라는 새로운 종파가 호족들의 후원을 받아 성장했다.

Chapter
07

남북국의 문화와 대외 관계

📖 불교, 찬란하게 꽃 피다

책을 읽기 전에

💡 다음 내용을 보며 7장의 본문을 통해 알아 두어야 할 내용을 생각해 보자.

- 통일 신라의 대표적 승려와 불교 사상에 대해 이야기해 보세요.
- 통일 신라의 불교 예술 작품과 특징에 대해 설명해 보세요.
- 발해 문화가 어떤 특징을 갖고 있는지 설명해 보세요.
- 통일 신라와 발해의 대외 관계 및 교류에 대해 이야기해 보세요.

책을 읽으며

1. 남북국의 문화와 대외 관계에 대한 내용을 읽으며 중요하다고 생각하는 부분에 밑줄 쳐 보자.

2. 부분별로 읽은 내용을 생각하며 빈칸을 채워 보자.

🔁 아미타 신앙이 무엇일까?: 통일 신라 불교 사상의 발전

1) 통일 신라의 문화는 이전의 (   ) 문화를 융합하고 (   )의 문화까지 받아들이면서 문화 수준이 상당히 높아졌다. 이후 고려와 조선을 거치면서 발전하는 우리 민족 문화의 토대가 되었다.

2) 통일 신라 문화의 가장 큰 특징은 (   ) 문화이다. 7세기 이후 불교의 여러 종파가 퍼지면서 교리를 둘러싼 논쟁이나 종파 간 갈등을 벌이기도 했으나 여러 승려가 불교 경전을 연구하기 시작했다.

3) (   )는 당 유학길에 올랐다가 도중에 깨달음을 얻어 유학을 포기하고 이후 일반 백성에게 불교를 전파하는 데 주력했다. '나무아미타불을 외면 누구나 구원받을 수 있다.'라며 (   ) 신앙을 강조했다.

4) 원효는 '모든 것이 한마음에서 나온다.'라는 (   ) 사상도 강조했다. 이처럼 종파의 조화를 강조하는 원효의 사상을 (   )이라고 한다.

5) (   )은 진골 귀족 출신으로 당으로 건너가 '하나가 전체이고, 전체가 하나다.'라는 내용의 (   ) 사상을 공부했다. 신라로 귀국 후 이 사상을 바탕으로 불교를 통합하기 위해 신라 화엄종을 창시해 (   )을 강화하는 데 도움을 주었다.

6) (   )는 당의 광저우로 유학을 떠났다가 인도 승려 금강지의 제자가 되어 인도를 순례한 후 (   )을 썼다. 이는 인도와 중앙아시아의 종교, 풍속, 문화가 상세하게 기록되어 있어 중요한 문화유산으로 꼽힌다.

7) 신라 하대인 9세기에는 당으로부터 불교의 새로운 종파인 (   )이 들어왔다. 이전의 불교가 경전과 교리를 중요하게 여긴 것과 다르게 참선과 수행을 강조했으며, 지방에서 크게 확산하였다. 또한 선종 승려인 도선은 (   )을 국내에 소개했다.

⑥ 석굴암에는 어떤 과학이 숨어 있을까?: 불교 건축 및 예술의 발전

1) 당을 몰아내고 민족의 통일을 완성한 문무왕은 (   )에게 사찰을 만들도록 했는데, 그 사찰이 (   )의 중심지인 경북 영주 (   )였다. 또한 외적이 침입할 경우 부처의 힘으로 물리치기 위해 경주에 (   )를 짓도록 했다.

2) 문무왕의 시신은 화장한 뒤 유언에 따라 동해의 바위 위에 안장했다. (   ) 앞 바다의 대왕암이 문무대왕릉이다.

3) 8세기 중반 김대성은 (   )를 세웠다. 이곳은 불교의 이상 세계를 현실에 담기 위해 만든 사찰로 대웅전을 비롯한 여러 건물과 (   ), 다보탑 등 석탑 을 조화롭게 배치했으며, 통일 신라 불교 예술의 극치라는 평가를 받는다.

4) 불국사에는 (   )이 있는데, 이는 통일 신라 의 석탑 양식을 보여 주는 대표적인 탑으로, 정교하면서도 세련된 아름다움을 자 랑한다. 이 석탑 안에서 세계에서 가장 오래된 목판 인쇄물인 (   ) 이 발견되었다.

5) 불국사의 (   )은 석탑이지만 목탑처럼 보이며, 몇 층짜리 탑인지 가늠하 기 쉽지 않다.

6) 통일 신라의 대표적 불상으로는 (   ) 본존 불상이 있다. 신라 사람들이 가 장 이상적으로 생각하는 (   )의 모습을 조각상으로 만든 것으로, 사실적으로 표현되어 있어 세계적으로도 최고의 불교 조각이라는 평가를 받으며, 1995년 유 네스코 세계 문화유산으로 등재되었다.

7) (   )은 절에서 시간을 알리거나 사람들을 모이게 할 때 치는 종을 말하는 데, 강원도 평창 (   ) 동종은 현존하는 국내 범종 중 가장 오래되었다. 또 (   )은 하늘을 날 것 같은 비천상 무늬와 은은한 종소리로 유 명하며, 국내에서 가장 큰 종이다. 종을 칠 때 나는 종소리가 마치 아이가 어미를 찾는 소리 같다고 해서 (   )이라고도 부른다.

8) 삼국 시대 후반부터 신라에서는 (   )의 고분이 유행했다. 통 일 신라에서도 유행이 이어졌으며, 다만 왕릉 주변을 꾸미는 현상이 두드러졌다.

ⓑ 이두를 왜 만들었을까?: 통일 신라 유학의 발전

1) 통일 신라 시대는 삼국 시대와 마찬가지로 왕권 강화를 위해 (   )가 필요했다. 신문왕은 국립 대학에 해당하는 (   )을 설치하고 유교를 가르치도록 했다. 8세기 후반 원성왕 때는 유교적 능력을 시험한 뒤 관리에 임명하는 (   )도 시행했다.

2) 왕실이 나서서 유학을 적극적으로 장려한 덕분에 강수, 최치원, 설총 등의 유학자가 배출되었다. 이들은 모두 (   ) 출신으로, 강수는 신라 중대에 가장 먼저 등장한 유학자로서 당에 보내는 (   )를 작성하는 업무를 맡았다.

3) (   )은 당에서 빈공과에 합격하고 벼슬도 했으며, 문집인 《계원필경》을 남겼다.

4) (   )은 유교 경전을 우리말로 쉽게 풀어쓰기 위해, 한자의 음과 뜻을 빌려 우리말을 표기하는 (   )를 집대성했다.

ⓑ 발해 기와와 불상은 어떤 양식으로 만들었을까?: 발해의 문화

1) 발해 문화는 (   ) 문화를 바탕으로 당과 (   ) 등 여러 문화를 수용한 독자적인 문화이다.

2) (   ) 때부터 적극적으로 교류하기 시작한 (   )의 문화가 발해에 유입되어 많은 영향을 받았다.

3) 8세기 후반 정혜 공주의 묘는 고구려 고분 양식인 (   )으로 만들었고, 정효 공주의 묘는 당의 고분 양식을 따라 (   )으로 만들어 무덤 위에 탑을 쌓았다.

4) 발해 유적은 가장 오랫동안 수도였던 (　　　) 용천부에 많이 남아 있다. 이곳은 당의 수도인 (　　　　)을 모방해 건설했다.

5) 발해에서도 (　　　)가 상당히 발달했다. 상경성에서 절터가 여러 곳 발견되었고, 절을 지을 때 썼던 기와들이 많이 발굴되었다. 또한 동경에서는 발해의 불상 중 가장 대표적인 (　　　　)이 발견되었다.

6) 현재까지 전해지는 발해의 탑은 별로 없다. 하지만 압록강 상류 지역에 5층 전탑인 (　　　)이 하나 남아 있는데, 이는 당의 영향을 받아 만들어졌다.

🅱 활발한 교역, 어디까지 뻗어 갔을까?: 통일 신라의 대외 교류

1) 통일 신라는 (　　)과 (　　　)은 물론 동남아시아, 서역과도 교역을 했다. 당과의 교역은 주로 (　　　　)을 통해 이루어졌고, (　　　　)에는 아라비아의 이슬람 상인도 와서 교역을 했다.

2) 칠곡 송림사 5층 전탑에서 발견된 사리 보관하는 상자는 금과 유리가 조화를 이루고 있었다. 금동 장식은 (　　　)의 양식이고, 유리 장식은 서역의 방식이었다는 점에서 (　　　) 상인과 교역이 활발했다는 사실을 알 수 있다.

3) 통일 신라와 (　　)의 관계 회복 후 학자, 승려, 상인들이 당을 많이 찾자, 당은 산둥 반도와 화이허강 일대에 신라인들의 거주지인 (　　　　)을 만들었다. 또 이곳을 관리 감독하는 (　　　　)를 두었고 이 밖에도 신라인의 사찰인 신라원, 숙박 시설인 신라관도 만들었다.

4) 신라는 당에 금은 세공품을 수출했고, 귀족들의 사치품을 수입했다. 일본과의 경제적 교류로 크게 늘었다. 일본에는 (　　　　)을 수출하고 견직물을 수입했다. 특히 신라의 (　　　　)이 일본 귀족들의 인기를 끌었다.

5) 통일 신라 후기 서해와 남해에 (   )이 들끓어 신라인들을 납치해 (   )으로 끌고 가서 노예로 팔았다. 이에 당에 있던 신라인 장수 (   )가 귀국해 (   )에 군사 기지인 (   )을 세워 해적을 소탕했다.

ⓑ 발해가 일본과 교류한 원래 목적은?: 발해의 대외 교류

1) 발해 초기의 무왕 때는 (   )과 전쟁을 치르기도 했지만 이후 우호적 관계를 맺기 시작했다. 학자, 승려, 상인들이 수시로 당에 드나들었고, 당은 발해 사람들을 위해 산둥반도에 (   )을 만들었다.

2) 발해의 귀족이나 학자들은 필요한 물품을 주로 당으로부터 수입했는데, 대표적인 수입품은 비단이나 (   ) 종류였다. 그 대신 발해는 말, 모피, 인삼, 철 등을 수출했다. 발해의 (   )는 동북아시아에서 가치가 높은 특산품이었다.

3) 선왕 때까지만 해도 발해는 (   )와 별다른 교류를 하지 않았지만, 동경 용원부를 설치한 후부터 신라와 교역을 늘렸고, 적대 관계에 있는 당과 신라를 견제하기 위해 (   )과 교류하기 시작했다.

3. 통일 신라와 발해의 문화재를 각각 세 가지 이상 써 보자.

ⓑ 통일 신라의 문화재

ⓑ 발해의 문화재

한눈에 보기

7장 내용을 한눈에 정리해 보자.

(B) 통일 신라의 사상과 예술

1. 빈칸을 채우며 우리 민족 문화의 토대가 된 통일 신라 문화를 정리해 보자.

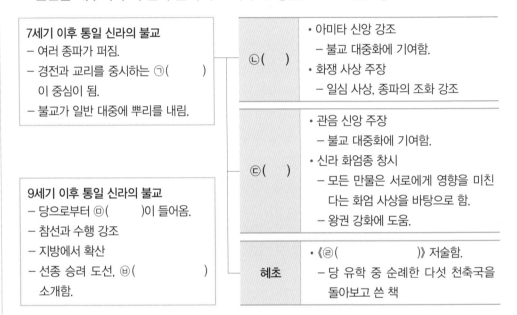

7세기 이후 통일 신라의 불교
- 여러 종파가 퍼짐.
- 경전과 교리를 중시하는 ㉠( ) 이 중심이 됨.
- 불교가 일반 대중에 뿌리를 내림.

9세기 이후 통일 신라의 불교
- 당으로부터 ㉤( )이 들어옴.
- 참선과 수행 강조
- 지방에서 확산
- 선종 승려 도선, ㉥( ) 소개함.

㉡( )	• 아미타 신앙 강조 - 불교 대중화에 기여함. • 화쟁 사상 주장 - 일심 사상, 종파의 조화 강조
㉢( )	• 관음 신앙 주장 - 불교 대중화에 기여함. • 신라 화엄종 창시 - 모든 만물은 서로에게 영향을 미친다는 화엄 사상을 바탕으로 함. - 왕권 강화에 도움.
혜초	• 《㉣( )》 저술함. - 당 유학 중 순례한 다섯 천축국을 돌아보고 쓴 책

2. 대표 건축물을 통해 통일 신라의 불교 예술에 대해 알아보자.

사찰	• ㉠( )(경북 영주): 화엄종의 중심지 • 감은사(경주): 부처의 힘으로 외적을 물리치기 위해 지음. • ㉡( )(경주): 불교의 이상 세계를 현실에 담기 위해 지음.
탑	• 불국사 3층 석탑(석가탑): 통일 신라의 석탑 양식 보여 줌. 《㉢( )》 발견됨. • 불국사 ㉣( ): 석탑이지만 목탑처럼 보임. • 화엄사 4사자 3층 석탑(전남 구례): ㉤( ) 네 마리가 탑을 받치는 모양 • 승탑: 선종 확산하며 승려들의 사리를 넣은 승탑도 만들어짐.
불상	• ㉥( ) 본존 불상: 수학과 과학 기술 동원 치밀하게 계산하여 만듦.
범종	• 상원사 동종(강원 평창): 현존하는 국내 범종 중 가장 오래된 범종 • ㉦( )(경주): 국내에서 가장 큰 종. 에밀레종이라고도 부름.

3. 〈보기〉를 활용해 통일 신라 유학의 발전에 대해 알아보자.

유학 관련 정치 제도	• 신문왕: ㉠(　　　) 설치하여 유교 가르치게 함. • 원성왕: ㉡(　　　　　　) 시행하여 유교적 능력 갖춘 관리 임명 • 당나라 유학 장려
대표 유학자	• 강수: 당에 보내는 외교 문서 작성 업무 등 관직 맡음(신라 중대). • ㉢(　　　): 당의 빈공과 합격하고 벼슬함. 황소의 난 비판하는 〈토황소격문〉, 문집 　《계원필경》 남김. 신라 왕실에 개혁안 올렸으나 받아들여지지 않자 정치 그만둠. • ㉣(　　　): 한자의 음과 뜻을 빌려 우리말 표기하는 이두 집대성함. • 김대문: 화랑의 전기인 《화랑세기》 지음.

┤ 보기 ├
• 주자감　• 국학　• 대과　• 독서삼품과　• 최치원　• 최승우　• 설총　• 원효

Ⓑ 발해의 문화

1. 생각 그물을 완성하며 발해의 문화를 정리해 보자.

발해 문화의 특징
• ㉠(　　　) 문화를 바탕으로 당과 말갈 등 여러 문화 수용한 독자적인 문화
• ㉡(　)왕 이후 당과 교류하며 영향 많이 받음.

통치 이념인 유교/유학
• 유교를 통치 이념으로 삼음.
• 당의 제도 받아들여 중앙 정치 조직 정비함.
• ㉥(　　　) 설치: 유학 가르침.
• ㉦(　)에서 유학 배우고 빈공과 시험 합격자 배출됨.

발해의 문화

고분 양식
• 정혜 공주의 묘: 굴식 돌방 무덤(고구려 고분 양식)
• ㉢(　　　　)의 묘: 벽돌무덤, 무덤 위 벽돌 탑(당의 고분 양식), 천장 부분(고구려 양식)
⇒ 당·고구려 문화 절묘한 어우러짐.

발해의 건축물
• ㉣(　　　): 당의 수도 장안성 모방 건설
• 상경성 절터 기와들: 고구려 기와 양식
• ㉤(　　　　): 고구려 양식
• 영광탑: 당의 영향

🅑 통일 신라와 발해의 대외 교류

1. 통일 신라의 대외 교류에 관한 내용을 완성해 보자.

통일 신라와 당나라의 교류	당, 일본, 신라를 연결하는 해상 무역 기지: ㉢( )	통일 신라와 일본의 교류
• 주로 ㉠( )을 통해 이루어짐. • 신라방, 신라소 등 설치 – 신라인들을 위한 시설이 당나라에 설치됨. • 신라의 수출품: ㉡( ) • 신라의 수입품: 사치품	• ㉣( )가 완도에 세움. – 해적 소탕 목적 군사 기지로 설치됨.	• 신라의 수출품: 모직물, ㉤( ) • 신라의 수입품: 견직물

통일 신라와 기타 지역과의 교류
• 칠곡 송림사 5층 전탑 사리 보관 상자: ㉥(   ) 방식 유리 장식 – 이슬람 상인과의 교류 증거
• ㉦(   )릉 앞 서역인 무인 석상: 중앙아시아나 아라비아와 교류 증거
• ㉧(   )항: 동남아시아나 서역에서 온 향료, 보석 등 다양한 물건 거래됨.

2. 빈칸을 채우며 발해의 대외 교류를 알아보자.

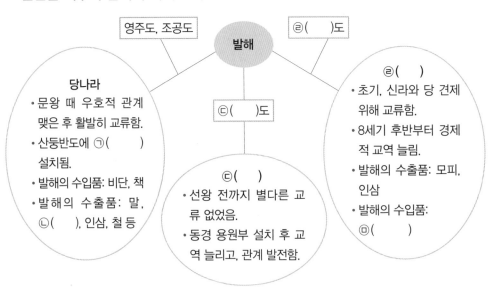

발해

영주도, 조공도

㉣(   )도

당나라
• 문왕 때 우호적 관계 맺은 후 활발히 교류함.
• 산둥반도에 ㉠(   ) 설치됨.
• 발해의 수입품: 비단, 책
• 발해의 수출품: 말, ㉡(   ), 인삼, 철 등

㉢(   )도

㉢(   )
• 선왕 전까지 별다른 교류 없었음.
• 동경 용원부 설치 후 교역 늘고, 관계 발전함.

㉣(   )
• 초기, 신라와 당 견제 위해 교류함.
• 8세기 후반부터 경제적 교역 늘림.
• 발해의 수출품: 모피, 인삼
• 발해의 수입품: ㉤(   )

1. 통일 신라와 발해의 공통점을 아래 키워드에 따라 구체적인 근거와 함께 정리해
   보자.

   > • 종교　　　• 통치 이념　　　• 당과의 교류

2. 원효 대사와 의상 대사를 비교한 표를 참고하여, 여러분이라면 어느 스님의 강
   연을 선택해 들을 것인지 이유와 함께 말해 보시오.

원효 대사	vs	의상 대사
6두품	신분	진골 귀족
일체유심조(一切唯心造) : "모든 것이 한마음에서 나온다."	사상	일즉일체(一卽一切) : "하나가 전체이고, 전체가 하나다."
불교에 관한 많은 저술을 남김.	저술	학문적 업적이 많지는 않음.
대중들의 많은 사랑을 받았으나 그의 뛰어난 지력을 시기하는 승려들이 많았다.	삶	왕실과 긴밀하게 교류하였으며, 많은 제자를 길러내는 데 힘을 쏟았다.

01. 오른쪽 문화재에 대한 설명으로 옳은 것은?

① 고구려의 양식을 계승하여 만들어졌다.

② 무구정광대다라니경이 발견된 탑이다.

③ 불국사에 있는 탑으로 목탑 양식으로 만들어졌다.

④ 이 탑을 지을 당시의 전설이 함께 전해져 무영탑
  이라고도 불린다.

⑤ 불국사 3층 석탑이 정식 명칭이며 세련되고 정교
  한 아름다움을 자랑한다.

02. 다음에서 설명하는 무역항은 어디인가?

> 이 무역항에는 멀리 아라비아의 이슬람 상인까지 와서 교역을 했다. 이들을 통해
> 신라의 이름이 전 세계에 알려지게 되었다.

03. 다음 중 통일 신라의 유학과 유교 문화에 대한 설명으로 옳지 <u>않은</u> 것은?

① 강수는 외교 문서 작성 능력이 탁월했다.

② 신문왕은 독서삼품과를 실시해 유교적 능력이 뛰어난 자를 관리로 임명하였다.

③ 6두품 출신의 최치원은 당의 빈공과에 합격해 당에서 활동하기도 했다.

④ 신문왕은 유교를 가르치기 위해 국학을 설치해 인재를 양성했다.

⑤ 설총은 이두를 정리해 많은 유교 경전을 우리말로 쉽게 풀어 썼다.

※ 아래의 지도를 보고 물음에 답하시오.

04. 발해의 ㉠과 ㉡ 교통로에 대한 설명으로 옳은 것은?

① ㉠ - 처음부터 경제 교류 목적으로 왕래하기 시작한 교통로이다.

② ㉠ - 일본과의 교역로로 유기그릇을 수입하고 견직물을 수출했다.

③ ㉡ - 선왕 이후 신라와의 교류가 활발해지기 시작한 교통로이다.

④ ㉡ - 이슬람 아라비아 상인들이 드나들던 교역로이다.

⑤ ㉡ - 신라에서는 이 교통로를 통해 주로 책을 수입하고 모피를 수출했다.

05. 지도의 ㉢에 대한 설명으로 옳지 않은 것은?

① 당과 신라의 교류가 늘어나자 신라 사람들이 많이 거주하기 시작했다.

② 신라 사람들의 집단 거주지인 신라소가 있었다.

③ 신라 사람들을 위한 사찰인 신라원도 있었다.

④ 신라와 지리적으로 가까워 주요 교통로가 되었다.

⑤ 발해 사람들을 위한 발해관이 있었다.

고려의 성립과
변천

: '코리아'의 명성을 떨치다

08 고려의 건국과 정치 변화

📖 민족 문화의 새 토대를 만들다

책을 읽기 전에

🌏 이번 장에서 기억해야 할 내용은 무엇일지 안내하는 내용과 부분별 제목을 훑어
보며 단어나 어구에 ○해 보자.

- 고려의 건국이 우리 민족의 역사에서 갖는 의미를 이야기해 보세요.
- 고려 전기에 정비된 통치 체제의 내용과 특징을 설명해 보세요.
- 묘청의 난이 일어난 이유와 결과, 의의에 대해 이야기해 보세요.
- 무신 집권기에 농민과 천민의 봉기가 일어난 이유와 의의에 대해 설명해 보세요.

책을 읽으며

1. 고려의 건국과 정치 변화에 대한 내용을 읽으며 중요하다고 생각하는 부분에 밑
줄 쳐 보자.

2. 부분별로 읽은 내용을 생각하며 빈칸을 채워 보자.

　🅑 차전놀이는 어떻게 시작됐을까?: 고려의 후삼국 통일

　1) 왕권 강화를 위한 궁예의 독재 정치에 위기감을 느낀 (　　　)은 궁예를 몰아내고
　　 (　　　)을 왕으로 추대했다.

　2) 왕건은 나라 이름을 (　　　), 연호를 천수로 정하고 육상과 해상 교통이 모두 편
　　 리한 (　　　)으로 수도를 옮겼다.

3) 왕건은 (   )와 우호 관계를, (   )와는 적대 관계를 유지했다.

4) 왕건은 전쟁에 지친 백성의 마음을 얻기 위해 (   )을 줄였고, 발해 멸망 후에
   는 발해 유민도 적극적으로 받아들이는 (   ) 정책을 폈다.

5) (   )가 신라의 (   )를 침략했다. 이에 신라는 (   )에 도움을 요청
   했고, 고려군과 후백제군이 (   )에서 격돌해 고려가 참패했다.

6) 태조는 3년 후 (   ) 전투에서 후백제에 승리했다. 이 승리를 기념하기 위해 시
   작된 민속놀이가 (   )이다.

7) 몇 년 후 후백제는 견훤의 후계 문제로 내분이 일어났고, 큰아들 (   )이 반란
   을 일으켜 견훤을 (   )에 가두었다. 견훤은 탈출해 (   )로 망명했다.

8) 고려와 후백제 사이에 경북 구미 선산에서 최후의 전투가 벌어졌고, 고려가 승리
   하며 (   )을 통일하게 되었다.

🅑 왕건은 왜 29명의 아내를 두었을까?: 태조의 통일 정책 추진

1) 고려의 후삼국 통일은 신라, 후백제뿐만 아니라 발해 유민까지 받아들여 우리
   (   )을 (   )하는 업적을 이룬 것이다. 또한 각 지방의 (   )이 정치
   에 참여해 한반도 전역의 다양한 문화가 하나로 합쳐져 민족 문화를 발전시킬 토
   대가 되었다.

2) 태조는 발해를 멸망시킨 (   )과의 외교 관계를 끊고 우리 민족의 자주 의식을
   강조했다. 후세의 왕들에게 남긴 유언 (   )에도 이 점을 강조했다.

3) 태조는 고구려를 계승해 (   ) 정책을 추진했다. 평양에 황해도 백성을 이주시
   키고 (   )으로 정했다. 그 결과 (   )에서 (   )에 이르는 지역
   까지 영토를 확장했다.

4) 태조는 (   )를 적극적으로 보호하고 장려하는 (   ) 정책을 펼치고, 연등회와 팔관회 행사도 장려했다.

5) 호족들이 함부로 (   )을 거두지 못하게 했고, 봄철에 곡식을 빌려주었다가 추수 후에 돌려받는 (   )을 설치해 빈민을 구제했다.

6) (   )들과 원만한 관계를 유지하기 위해 호족의 딸을 아내로 맞아들이는 (   ) 정책을 폈다. 또한 호족들에게 관직과 토지를 하사하고 이와 별도로 왕족의 성씨인 왕씨를 내리는 (   ) 정책도 폈다.

7) 일부 호족에게는 (   ) 직책을 주고 그들의 출신지를 통치하도록 했다. 또한 호족의 자제를 수도 개성에 볼모로 잡아 둠으로써 지방에 있는 호족이 함부로 행동하지 못하도록 하는 (   ) 제도도 펼쳤다.

🅑 귀족들이 과거 제도를 반대한 까닭은?: 광종의 왕권 강화 정책

1) 태조가 죽자 외척과 왕자들 간에 권력 다툼으로 (   )이 불안정한 가운데 혜종, 정종에 이어 왕위에 오른 (   )은 개혁 정책을 시행했다.

2) 광종은 (   )을 통해 전쟁 중에 붙잡히거나 빚을 갚지 못해 노비가 된 사람을 (   )으로 돌려놓았다. 이 제도로 노비가 줄어 경제적 이득이 줄어든 (   )들은 당황했다.

3) 노비안검법 시행 이후 세금을 내는 (   )의 수가 늘어 국가 재정이 튼튼해졌지만, 호족의 세력은 약해져 왕권 강화에 성공한 셈이었다.

4) 광종은 (   )를 시행해 젊고 새로운 인재를 등용하려 했다. 그전까지는 귀족과 고위 관료들이 (   )를 통해 관직을 독차지했고, 이런 관료들은 왕이 아닌 (   ) 가문들에 충성해 왕권이 강해질 수 없었다.

5) 과거제가 시행되자 (   ) 학식과 능력을 갖춘 젊은 인재들이 조정으로 들어왔고, 이들은 (   )에게 충성을 맹세했다.

6) 고려 시대의 과거 시험은 문과, 잡과, 승과로 나누었다. 문과는 (   )을 뽑는 시험으로 문장 실력을 겨루는 제술과와 유교 경전을 얼마나 잘 이해하는지를 겨루는 명경과가 있었다. 잡과는 법률이나 회계, 지리 등 실용적인 분야의 (   )을 뽑는 시험이었고, 승과는 불교의 행정을 담당하는 (   )를 뽑는 시험이었다.

7) 고려 시대에는 무관을 뽑는 (   )는 시행되지 않았다. 무예를 잘하거나 체격 조건이 좋은 사람들을 추려서 무관으로 임명했다.

8) 고려 시대에는 (   )이라면 누구나 과거 시험을 응시할 수 있었다. 하지만 실제로는 중소 지주 출신이나 지방 향리 출신이 주로 과거 시험에 응시했다.

9) 과거 시험을 통해 일부는 귀족에 버금가는 명문 가문으로 성장해 새로운 정치 세력을 형성했는데, 그들을 (   )라 했다.

10) 광종은 관리들이 조정에 나갈 때 입는 (   )의 색깔을 관직에 맞게 정하고 (   )을 확정해 관리의 기강을 잡았다.

11) 고려의 개국 공신들과 호족들이 강하게 반발했지만 광종은 그들을 숙청하고, (   ) 체제의 토대를 구축했다. 광종은 고려 전기의 가장 강력한 군주로, 스스로 (   )라 불렀고 수도 개경을 황제의 수도란 뜻에 (   )라 부르도록 했다. 또한 광덕, 준풍과 같은 독자 (   )를 사용했다.

⊕ 인품이 좋은 사람에게 토지를 준 이유는?: 토지 제도의 개편과 전시과 시행

1) 광종의 왕권 강화 노력 이후 호족들은 중앙 (   )으로 변신했고, 다스리던 지방의 권력을 내놓는 대신 수도 (   )에 머물며 중앙 귀족으로 권력을 얻은 (   )이 되었다.

2) 문벌 귀족은 음서를 통해 관직을 얻고 토지를 받았다. 개국 공신들은 (   ) 이라는 토지를, 5품 이상은 (   )이라는 토지를 받아 세습할 수 있었다.

3) 경종은 전직과 현직 관리 모두를 벼슬에 따라 18등급으로 나누어 토지를 주는 (   )를 마련해 토지 제도를 개혁했다. 정부가 나누어 준 토지는 곡물을 얻기 위한 (   ), 땔감을 얻기 위한 (   ) 두 종류였다. 사실 정부가 관리들에게 준 것은 토지가 아니라 토지에서 나는 세금을 정부 대신 가져갈 수 있는 (   ) 이었다.

4) 관리들이 받은 (   )를 반환하지 않자 토지 부족 사태가 발생해 전시과를 개정하게 되었다. 목종 때 토지 지급 기준에서 (   )을 빼고 개정 전시과로, 문종 때 (   )에게만 토지를 주는 경정 전시과로 다시 개정해 토지 지급 대상을 줄였다.

5) 성종 때 우리 역사상 처음으로 철로 된 화폐 (   )를 만들었지만 활발하게 유통되지는 않았다.

⊕ 불교 국가에서 유교를 장려한 이유는?: 고려 전기의 체제 정비

1) 성종 때 유학자 최승로의 (   )를 받아들여 (   ) 정치사상이 고려의 통치 이념이 되었다.

2) 최승로는 광종이 왕권을 무기로 호족과 공신 세력을 제압한 것은 유교 통치 이념에 어긋난 것으로 생각했다. 유교를 통치 이념으로 삼으려면 신하들의 권력인 (   )을 존중해야 한다고 했다.

3) 성종은 중앙 정치 조직을 (   )과 (   )의 제도를 바탕으로 고려 실정에 맞춰 제정한 (   )제를 시행했다. 2성은 국정을 총괄하는 최고 기관인 (   )과 6부를 총괄하는 (   )으로 되어 있었다.

4) (   )은 왕의 비서실 역할을 하는 동시에 군사 기밀과 왕명을 전달하는 일을 했고, (   )는 중서문하성의 3품 이하 관리인 (   )와 함께 관리를 감찰하고 왕을 견제하는 일을 했다. 또 (   )는 화폐, 곡식의 출납과 회계를 담당했다.

5) 고려가 귀족 사회였다는 사실을 보여 주는 증거는 국방과 군사 문제를 논의하는 (   ), 각종 제도에 대한 규칙을 만드는 (   )이라는 귀족들의 회의 기구가 있었다는 것이다.

6) 성종은 중요한 지역에 (   )을 설치해 수령으로 목사를 파견해 행정 조직을 개편했고, 현종 때 완성했다.

7) 고려의 지방 행정 조직은 수도 개성이 있는 경기와 (   )로 나누었다. 5도는 일반 행정 구역으로 (   )를 파견해 행정 업무를 담당하게 했고, 양계는 북쪽의 국경 지역에 설치된 것으로, (   )를 파견해 군사 업무를 담당하게 했다.

8) 5도 아래에는 주, 군, 현을 두고 (   )을 파견했다. 지방관이 파견되지 않는 곳은 다른 지역에 속한다는 뜻으로 속군, 속현이라 했다.

9) 양계 밑으로는 군사 요충지에 (   )와 (   )을 설치했고 이와 별도로 하층
민이 거주하는 특수 행정 구역으로는 향, 부곡, 소가 있었다.

10) 군사 조직은 현종 때 완성되었다. 중앙군이 (   )로 구성되었는데, 2
군은 왕의 친위 부대였고 6위는 수도와 국경을 방위했다. 여기에 소속된 군인은
직업 군인으로 군인전이라는 토지를 따로 받았다. 2군 6위 장수들은 (   )에
모여 회의를 했다.

11) 성종은 (   )를 통치 이념으로 삼아 최고 교육 기관인 (   )을 개경에
세워 유교 경전, 수학, 법률 같은 기술학을 가르치게 했다. 이곳은 뒤에 국학이라
부르다가 고려 후기에 성균관으로 바꿔 불렀다.

12) 지방의 유학 교육 기관은 (   )로 유교 경전과 역사를 공부했는데, 경학박사
나 의학박사가 파견되어 학생들을 가르쳤다.

13) 유학을 가르치는 사설 학교로는 최충의 (   )이 있었고, 이곳을 포함
해 총 12곳의 사립 학교가 유명했는데, 이를 (   )라 했다.

⑤ 묘청과 김부식, 누가 옳을까?: 이자겸의 난과 묘청의 난

1) 고려 전기의 여러 특권을 누리던 (   )이 12세기 이후 주요 관직을 독
차지하고, 땅을 늘려 대농장을 운영하면서 폐해가 나타났다.

2) 문벌 귀족 중에 가장 권력이 강했던 경원 이씨 가문은 여러 차례 왕비를 배출한 대
표적인 (   ) 세력으로, (   )은 이를 이용해 최고의 권력자가 되었다.

3) 이자겸은 둘째 딸을 (   )에게 시집보냈고, 손자 (   )에게 셋째 딸과 넷째
딸을 시집보냈다. 이자겸의 권력은 왕을 능가해 정치와 군사를 총괄하는 (   )
라는 벼슬에 올라 권력을 마음대로 휘둘렀다.

4) 신변에 위협을 느낀 (   )은 이자겸을 제거하려 했지만, 이 사실을 알아챈 이 자겸이 척준경과 함께 반란을 일으켰다. 궁궐에 불을 지르고 인종을 가둔 이 사건 이 (   )이다.

5) 인종이 척준경을 회유해 이자겸을 체포하며 난은 끝났지만 (   )의 권위는 추락했 다. 이후 개경의 기운이 약해졌기 때문이라며 (   )이 퍼지기 시작 했다.

6) 인종은 문벌 귀족에게 휘둘리지 않기 위해 신진 세력을 등용했고, 이들은 인종에 게 서경 출신의 승려 (   )을 소개했다.

7) 묘청은 (   ) 천도를 주장했고, 인종은 묘청의 제안에 따라 서경에 (   )이 라는 궁궐을 짓기 시작했다. 하지만 대표적인 문벌 귀족 (   )이 서경 천도 를 반대했다.

8) 묘청은 서경 천도가 중단되자 대위국이라는 새 나라의 건국을 선포하고 반란을 일 으켰다. 이것이 (   )이었다.

9) 묘청의 난이 일어나자 (   ) 귀족들이 진압군을 파견해 진압했고, 문벌 귀족은 되살아났다.

🅑 펜이 강할까, 칼이 강할까?: 무신 정변과 무신 정권 수립

1) 이자겸의 난과 묘청의 난이 잇달아 발생한 후 문벌 귀족들은 똘똘 뭉쳤고, (   ) 은 추락했다. 의종이 왕권 강화를 위해 (   )과 (   )을 측근으로 두자 문벌 귀족들의 위협이 심해졌다.

2) 보현원으로 의종과 신하들이 나들이를 갔을 때 (   )의 우두머리인 상장군 (   )의 신호에 무신들이 정변을 일으켰다. 닥치는 대로 문신들을 죽이고 의종도 왕위에서 끌어내렸다.

3) 무신들이 권력을 장악한 (   ) 시대에는 최고 회의 기관인 (   )을 장악하는 자가 최고 권력자가 되었다. 이의방-정중부-경대승이 권력을 누렸으며, 무신 정권이 들어서 10년이 넘는 세월 동안 패권 다툼은 계속되었다.

Ⓑ 중서문하성이 약해진 까닭은?: 최씨 정권의 성립

1) 경대승이 죽자 이의민이 10년 넘게 권력을 유지했지만 이후 (   )이 권력자가 되었고, 이를 아들에게 물려주며 이때부터 (   )이 성립되었다.

2) 최충헌은 자신을 암살하려던 주모자를 잡기 위해 (   )이라는 임시 기구를 만들었다. 이후 교정도감을 상설 기구로 바꾸고 모든 국정을 처리하는 최고 국정 기구로 만들었다.

3) 정치와 군사 영역을 장악한 최충헌이 집권하는 동안 5명의 왕은 모두 허수아비 노릇을 해야 했고, 그의 아들 (   )가 권력을 이어받았다. 최우도 자신을 보호하고 치안 등을 맡을 (   )를 신설했다.

4) 최우는 정부의 인사 행정을 총괄하는 인사 기관인 (   )을 자신의 집에 설치하고 집에서 국정을 수행했다.

5) 최우는 유학자와 (   )을 우대해 (   )이라는 기관에서 활동하게 했고, 이들은 정방에서도 일하면서 정부 정책에 대해 적극적으로 조언하고 자문했다.

6) 최우에 이어 최항, 최의 등으로 최씨 정권이 이어지다가 김준이 최의를 제거하고 권력을 잡으며 최씨 정권도 몰락했다. 그 후 (   )이 고려의 왕을 지원하면서 무신 정권은 막을 내렸다.

Ⓑ 만적이 봉기한 목적은 무엇일까?: 농민과 천민의 봉기

1) (   )은 문벌 귀족보다 더 가혹하게 백성을 수탈했다. 자기들끼리 권력 다툼을 벌이거나 더 많은 (   )를 확보하려 했고 백성이 내야 할 (   )도 크게 늘렸다.

2) 무신 정권 시기 (   )의 문화가 퍼져 신분이나 계급이 낮은 사람이 높은 사람에게 반기를 들거나 그들을 몰아내는 현상이 생겼다.

3) 지나치게 과도한 세금을 낼 수 없다며 공주 명학소에서 (   )이 일어났다. 반란군은 무서운 기세로 세력을 확장해 (   ) 일대를 점령했으나 실패로 끝났다.

4) 6년 후 전라도 전주에서 지방관의 횡포에 관노들이 봉기했다. 그 후 경상도 운문에서 (   )가, 초전에서 (   )이 봉기 했지만 1년여 만에 실패로 끝났다.

5) 수도 (   )에서 최충헌의 사노비 (   )이 봉기하려다 적발됐다. 주인을 죽이고, 노비 문서를 태워 없애려 했으나 사전에 발각되었다.

3. 8장 내용을 바탕으로 〈보기〉의 사건을 발생 순서대로 표시하고, 각각의 특징을 정리해 보자.

보기

• 만적의 난(　　):

• 묘청의 난(　　):

• 무신 정변(　　):

• 이자겸의 난(　　):

8장 내용을 한눈에 정리해 보자.

Ⓑ 왕건과 광종이 만든 고려 초기

1. 왕건을 소개하는 내용을 완성하며 고려 건국 전후 과정을 정리해 보자.

인적 사항과 가정환경	이름: **왕건** 아버지: 왕륭, 송악의 호족
후고구려 시기 업적	• 후고구려를 세운 ㉠(　　　)의 신하가 됨. • ㉡(　　　)와의 전투에서 여러 차례 승리를 거둠. • 후고구려의 2인자인 시중까지 오름.
왕이 된 이후~후삼국 통일 시기 업적	• 호족들과 함께 궁예 몰아내고 왕에 추대됨. • 나라 이름을 고려로 정하고, 수도를 ㉢(　　　)으로 옮김. • 세금 줄여 백성의 마음을 얻고, ㉣(　　　) 유민도 받아들임. • 공산 전투 패배: 후백제에 공격받은 신라 도우려다 크게 패함. • ㉤(　　　) 전투 승리: 이후 후백제의 사기 크게 꺾임. • 고려로 망명한 후백제의 ㉥(　　　)을 받아들임. • ㉦(　　　)의 경순왕, 고려에 항복해 옴. ⇒ **후삼국 통일 완성**
통일 이후 업적	• 민족 화합 정책: 신라와 후백제 지배층 일부 고려 지배층이 됨. • 민족의 자주 의식 강조: 발해 멸망시킨 거란과 국교 단절함. • ㉧(　　　) 정책: 　- 평양(서경)을 북진 정책 전진 기지로 삼음. 　- 청천강에서 영흥만에 이르는 지역까지 영토 확장함. • 숭불 정책: 불교 보호 장려함. 연등회와 ㉨(　　　) 장려함. • ㉩(　　　) 통합 정책: 　- 혼인 정책, 토지 하사, 사성 정책, 사심관 제도와 기인 제도

2. 빈칸을 채우며 광종의 개혁 정책을 정리해 보자.

광종의 개혁 정책

• ㉠( ) 시행
– 세금 내는 양인의 수 늘어 국가 재정 튼튼해짐.
– 호족들의 경제력 · 군사력 줄어듦.

⬇

호족들의 강한 반발

⬇

• ㉡( ) 시행
– 젊고 새로운 인재 등용하기 위해 실시함: 등용된 관리들, 왕에게 충성 맹세함.

⬇

• 관직에 맞는 공복 제정, 개혁 반대 호족들 숙청, 독자 연호 사용

호족들의 변신
– 광종의 지배 받아들이며 중앙 귀족이 되어 권력을 얻음.
– 왕실과 혼인을 맺어 권력을 유지함.

⬇

㉢( ) 강화, ㉣( ) 구축

ⓑ 고려의 통치 제도

1. 빈칸을 채우며 고려의 통치 제도에 대해 알아보자.

〈토지 제도〉

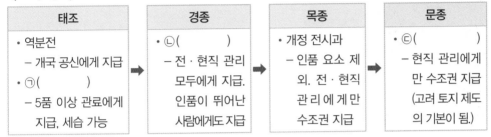

태조	경종	목종	문종
• 역분전 – 개국 공신에게 지급 • ㉠(　　　　) – 5품 이상 관료에게 지급, 세습 가능	• ㉡(　　　　) – 전 · 현직 관리 모두에게 지급. 인품이 뛰어난 사람에게도 지급	• 개정 전시과 – 인품 요소 제외. 전 · 현직 관리 에게 만 수조권 지급	• ㉢(　　　　) – 현직 관리에게 만 수조권 지급 (고려 토지 제도 의 기본이 됨.)

〈관리 선발 제도: 과거 시험〉

문과: 문관을 뽑는 시험	㉣(　　　): 기술관을 뽑는 시험	승과: 승려를 뽑는 시험
• 제술과 – 문장 실력을 겨루는 시험 • 명경과 – 유교 경전 이해도 겨루는 시험	• 법률, 회계, 지리 등 실용적인 분야	• 불교 행정 담당
• 응시 자격: ㉤(　　　)이라면 누구나 응시 자격 주어짐.		

〈통치 체제: 중앙 정치 조직(2성 6부제)〉

• 성종: 중앙 정치 조직과 지방 행정 조직 모두 정비함. 최승로가 건의한 '㉥(　　　　)'를 받아들여 ㉦(　　　) 정치사상을 고려의 통치 이념으로 삼음.

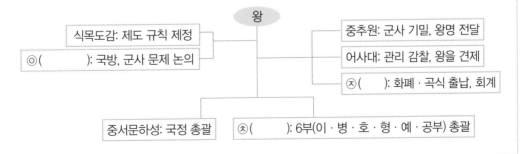

〈통치 체제: 지방 행정 조직(5도 양계)〉

• 성종: 주요 지역에 ㉠(　　　) 설치, 수령(목사) 파견함.
• 현종: 지방 행정 조직 개편 완성

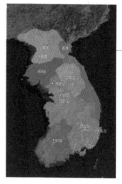

▲ 고려의 행정 구역

| 경기: 개경을 포함하는 지역 |
| 5도: 일반 행정 구역, 안찰사 파견 통치하게 함. |
| 양계: 북쪽 국경 지역에 설치됨. 병마사 파견 |

| 주, 군, 현: 지방관 파견 |
| 속군, 속현: 지방관 파견되지 않음. |

| 도호부, 진 설치: 군사 요충지 |

| 특수 행정 구역: ㉢(　　　　) |
| – 하층민 거주 지역 |

〈군사 조직〉

• 현종 때 완성됨.

중앙군	지방군
• 2군(왕의 친위 부대) 6위(수도와 국경 방위) 　– 소속 군인은 군인전 받음. 　– ㉣(　　): 2군 6위 장수들의 회의 기구	• 주현군 　– 주와 현에 있는 지방군 • 주진군 　– 양계에 배치된 군대

〈교육 기관〉

• 성종 때 재정비함.

㉤(　　　)	향교	사설 학교
• 최고 교육 기관으로 개경에 세워짐. • 문벌 귀족 자제들 유학 공부함. • 기술학도 가르침.	• 지방의 유학 교육 기관 • 유교 경전을 익히고 역사를 공부함. • 경학박사, 의학박사 파견되어 학생 가르침.	• 사학 12도 　– 최충의 구재학당 포함 12곳의 사립 학교

❽ 전기 고려의 위기

1. 보기에서 맞는 내용을 찾아 쓰며 고려를 혼란에 빠트린 두 번의 난을 정리해 보자.

이자겸의 난(1126년)		묘청의 난(1135년)
• ㉠( ) 이자겸이 권력 장악함. 　– 예종, 인종에게 딸들을 시집보내며 외척이 됨. 　– 지군국사 벼슬을 하며 왕을 능가하는 권력 장악함.	배 경	• 이자겸의 난 이후 개경의 기운이 약해졌다며 ㉤( ) 퍼지기 시작함. • 인종이 문벌 귀족들 막기 위해 신진 세력 등용함.
• 이자겸을 제거하려는 ㉡( )의 움직임 눈치채고 척준경과 난을 일으킴. → 왕을 가두고 이자겸이 권력을 차지함.	전 개 과 정	• 신진 세력이 소개한 묘청이 ㉥( ) 주장함. → 인종이 받아들임. → 개경 문벌 귀족들이 반대함. → 서경 천도 중단됨. → 묘청이 ㉦( ) 건국을 선포하며 난을 일으킴.
• 인종이 ㉢( ) 회유해 이자겸 체포함. • 왕의 ㉣( ) 추락함.	결 과	• 1년간 저항하다 ㉧( )의 군대에 진압당함. • 북진의 꿈 좌절, 문벌 귀족 되살아남.

───── 보기 ─────

• 풍수지리설　• 권위　• 대위국　• 척준경　• 문벌 귀족　• 김부식　• 서경 천도　• 인종

2. 질문의 답을 완성하며 무신 정변에 대해 알아보자.

Q: 무신 정변을 일으킨 사람들은 누구인가?
A: ㉠(   )

Q: 무신 정변을 일으킨 까닭은 무엇인가?
A: 문신들로부터 받는 멸시와 ㉡(   )을 참을 수 없어서. 토지도 제대로 지급되지 않고, 여러 공사에 동원되어 ㉢(   )이 쌓여서.

Q: 정변을 일으키게 된 결정적인 계기는?
A: 왕의 나들이로 간 ㉣(   )에서 젊은 ㉤(   ) 한뢰가 대장군 이소응의 뺨을 때리며 무시함.

Q: 난의 결과는 어떻게 되었나?
A: 무신들이 문신들을 죽이고, 의종을 왕위에서 끌어내리고 명종을 왕위에 앉혔다. 그리고 권력을 장악했다.

3. 빈칸을 채우며 무신 정변 이후 집권한 권력자와 관련 기구를 정리해 보자.

	⊙( ) (치안 등 국가 업무)							
	도방(사병 조직)							
권력자	이의방	ⓒ( )	경대승	이의민	ⓒ( )	최우	최항	최의	김준
					최씨 정권			
회의 기구	중방				교정 도감	ⓔ( ) 정방(인사 기관)		

4. 무신 정권에 반발해 일어난 농민과 천민들이 일으킨 반란의 원인과 결과를 알아 보자.

원인:
① ⊙( )의 가혹한 백성 수탈
 – 향, 부곡, 소의 부담이 더 큼.
② 하극상의 문화 퍼짐.
 – ⓒ( ) 출신의 최고 권력자에 백성들이 신분 상승 생각하게 됨.

결과:
모두 ⓒ( )함.

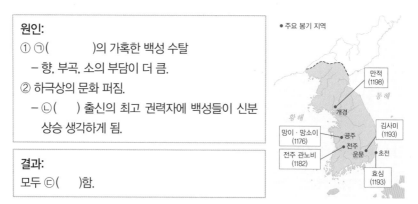

● 주요 봉기 지역

만적(1198)
망이 · 망소이(1176)
전주 관노비(1182)
김사미(1193)
효심(1193)
동해
황해
개경
공주
전주
운문
초전

11세기 말, 교황 우르바누스 2세가 이슬람 세력으로부터 크리스트교 성지 예루살렘을 탈환하자고 외치며 시작한 십자군 전쟁이 1270년까지 계속되었다. 전쟁이 크리스트교의 패배로 끝나자 유럽 사회에서는 교황과 교회의 권위가 추락하고 봉건 영주와 기사들이 크게 약해졌다. 십자군의 물자를 보급하고 운송을 담당한 이탈리아 도시들을 비롯해 도시가 발전하면서 장원 경제가 무너지기 시작했다.

1. 고려의 건국이 우리 민족 역사에서 갖는 의미는 무엇일지 생각해 보자.

2. 다음은 태조 왕건이 남긴 〈훈요 10조〉의 일부이다. 다음을 읽고 물음에 답해 보자.

제1조　불교의 힘으로 나라를 세웠으므로 사찰을 세우고 주지를 파견하여 불도를 닦도록 할 것.

제2조　도선의 풍수 사상에 따라 사찰을 세울 것.

제4조　우리나라와 중국은 지역과 사람의 인성이 다르므로 중국 문화를 반드시 따를 필요가 없으며, 거란은 짐승과 같은 나라이므로 그들의 의관 제도는 따르지 말 것.

제5조　서경은 우리나라 지맥의 근본이 되니 세 달마다 방문하여 백일 이상 머물도록 할 것.

제6조　연등회와 팔관회를 성대히 할 것.

1) 태조의 유언 중 북진 정책과 관련한 조항을 찾고 그 속에 담긴 태조의 생각을 짐작해 보자.

2) 위에 제시된 조항들을 통해 고려는 어떤 문화의 나라였을지 설명해 보자.

3. 다음 고려의 각 제도들이 왕권을 강화하는 데 어떤 역할을 했는지 설명해 보자.

✓ 최승로의 시무 28조 수용

✓ 과거제 실시 : 유교 경전에 능하고 문장 능력 뛰어난 인재 선발

✓ 중앙 2성 6부제, 군, 현에 지방관 파견

✓ 토지 제도의 변화: 공음전 → 시정 전시과 → 개정 전시과 → 경정 전시과

공음전	시정 전시과 (경종, 976)	개정 전시과 (목종, 998)	경정 전시과 (문종, 1076)
• 5품 이상 관료에 토지 소유권 부여. 세습 가능	• 전·현직 관리에게 수조권 지급 • 관직의 높고 낮음과 인품 요소 반영	• 전·현직 관리에게 수조권 지급 • 인품 제외, 관직만 반영	• 현직 관리에게만 수조권 지급

01. 다음 〈보기〉에서 왕건의 업적으로 옳은 것만 고르면?

┌─────── 보기 ───────┐

ㄱ. 후백제와는 적대 관계를 유지했다.

ㄴ. 신라 왕실 출신을 사심관으로 임명했다.

ㄷ. 과거제를 실시해 유능한 인재를 뽑았다.

ㄹ. 서경을 중시해 수도로 삼았다.

ㅁ. 빈민을 구제하기 위한 흑창 제도를 실시했다.

ㅂ. 청천강~영흥만에 이르는 국경을 확정해 천리장성을 쌓았다.

① ㄷ, ㄹ, ㅁ   ② ㄱ, ㄴ, ㄷ, ㄹ   ③ ㄴ, ㅁ, ㅂ

④ ㄱ, ㄴ, ㅁ, ㅂ   ⑤ ㄱ, ㄴ, ㅁ

02. 다음에서 소개하는 왕의 업적으로 옳지 <u>않은</u> 것은?

태조 왕건의 아들로 4대 왕에 오른 그는 외척과 호족 세력을 약화시키기 위한 개혁에 착수했다.

① 전쟁 중에 억울하게 노비가 된 사람들을 양인으로 되돌려 놓았다.

② 후주에서 온 쌍기의 건의를 받아들여 과거제를 실시했다.

③ 왕위를 계승할 때 장자가 계승하는 전통을 만들었다.

④ 관리들의 공복을 관직 등급에 따라 정하고 서열을 확정했다.

⑤ 광덕, 준풍 등 독자 연호를 사용했다.

03. 다음은 고려의 통치 제도에 대한 설명이다. 옳은 것에는 ○표, 틀린 것에는
×표 하고 틀린 부분을 바르게 고쳐 보자.

1) 전국을 크게 5도와 양계, 경기로 나누어 5도에는 안찰사를, 양계에는 병마사를 파
견했다. (   )

2) 군사 조직으로 5도에는 2군이, 양계에는 6위가 주둔했다. (   )

3) 모든 군현에 지방관을 파견하였으며, 해당 지역의 향리가 조세나 공물 징수 등 실질
적인 행정 업무를 담당했다. (   )

4) 향·부곡·소라는 특수 행정 구역이 있었고 부곡에서는 국가가 필요한 특산품 생산
을 담당했다. (   )

5) 과거 시험은 문장력이 우수한 인재를 뽑는 명경과, 유교 경전 실력을 겨루는 제술
과, 승려를 뽑는 승과, 그리고 기술직을 뽑는 잡과가 있었다. (   )

04. (가) 시기에 있었던 일로 볼 수 <u>없는</u> 것을 두 가지 고르면?

> 이자겸의 난 - 묘청의 난 - (가) - 만적의 난

① 대화궁을 짓고 천도를 계획했다.
② 한 집안이 권력을 잡고 60년간 권력을 세습했다.
③ 보현원에서 무신들이 반란을 일으켰다.
④ 천민 출신도 권력을 잡을 수 있다는 기대감이 형성됐다.
⑤ 세금을 감면해 주고 신분과 관계없이 등용하여 백성들의 지지를 얻었다.

05. 무신 정권과 그 기구들에 대한 설명으로 옳은 것은?

① 경대승 - 자기 신변 보호를 위해 '정방'이라는 사병 집단을 만들었다.
② 최충헌 - 자신을 암살하려는 자를 색출하기 위해 '도방'을 만들었다.
③ 이의방 - 천민 출신으로 최초로 무신 정권의 우두머리가 되었다.
④ 최충헌 - 무신들의 최고 권력 기관인 '중방'을 운영했다.
⑤ 최우 - 최씨 정권을 보호하기 위한 사병 조직으로 '교정도감'을 설치했다.

06. 오른쪽과 같은 사건이 일어난 배경으로 볼 수 없는 것은?

① 무신 정권의 수탈이 갈수록 심해졌다.

② 신분에 상관없이 권력을 잡을 수 있다는 인식이 퍼졌다.

③ 권력자들이 대농장을 소유하면서 터전을 빼앗긴 백성들이 늘어났다.

④ 부유한 평민들이 농민의 난의 구심점이 되어 기세를 떨쳤다.

⑤ 무신 간의 권력 다툼으로 중앙의 통제력이 약화되었다.

● 주요 봉기 지역

만적 (1198)

동해

황해

개경

망이·망소이 (1176)

공주

전주 관노비 (1182)

전주 운문

김사미 (1193)

초전

효심 (1193)

고려의 대외 관계

📖 코리아의 기상을 널리 알리다

책을 읽기 전에

🌐 다음 소제목들을 바탕으로 9장에서 읽게 될 사건들을 예측해 보자.

- 서희의 외교 담판으로 얻어 낸 땅은?: 거란의 침입과 격퇴
- 윤관이 별무반을 조직한 까닭은?: 여진의 성장과 동북 9성 축조
- 코리아를 세계에 알리다: 고려 전기의 활발한 대외 교류

책을 읽으며

1. 고려의 대외 관계에 대한 내용을 읽으며 중요하다고 생각하는 부분에 밑줄 쳐 보자.

2. 부분별로 읽은 내용을 생각하며 빈칸을 채워 보자.

　🅑 서희가 외교 담판으로 얻어 낸 땅은?: 거란의 침입과 격퇴

1) 10세기 초반부터 12세기까지 동북아시아의 국제 정세는 복잡했으며 거란, 여진과 같은 (　　　　　　) 민족이 세력을 키웠다.

2) 고려 광종이 통치하던 10세기 중반 중국에서는 (　　)이 후주를 멸망시키면서 5대 10국 시대가 끝나 평화를 찾은 것 같았지만, 북방의 유목 민족이 중국을 노리고 있었다. 송은 (　　　　　　)를 표방했기에 군사력이 약했다.

3) 10세기 초 고려가 탄생하기 전, 중국 북쪽에서 (　　　　　)이 세력을 키워 통일 왕국을 건설했다. 이들은 (　　　　)를 멸망시키고 남진을 시작하여 (　　)을 압박했으며, 나라 이름도 중국식인 (　　)로 바꾸었다.

4) 거란은 고려에 사신을 보내 국교를 청했지만, 태조는 거절하고 (　　　　　　) 을 추진했다.

5) 정종 때 거란의 침략에 대비해 (　　　　) 병력의 광군을 조직했다. 그러나 광군은 국경의 성을 쌓는 등 공사에 동원되어 거란의 침략을 막을 정도의 힘은 없었다.

6) 거란은 송을 치기 전, 배후의 (　　　)를 제압하기 위해 전쟁을 일으켰고 전쟁에 대비하지 못한 고려의 피해는 컸다.

7) 고려 조정의 몇몇 대신은 서경과 서경 이북의 땅을 주면 거란이 물러갈 것이라며 (　　　)을 주장했지만, (　　　)는 우리의 영토를 내줄 수 없다며 거란을 찾아갔다.

8) 서희는 거란 사령관 (　　　　)에게 "거란이 고려의 (　　　) 정벌과 영토 개척을 묵인한다면 국교를 맺겠다."라고 했고 거란은 고려의 약속을 믿겠다며 철수했다.

9) 고려는 평안도 지역에 있는 (　　　)을 몰아내고 (　　　　　　)를 설치하여 (　　　　　)까지 영토를 넓혔다.

10) (　　　)의 정변을 구실로 거란은 2차 침략했으며, 고려와 (　　)의 관계를 완전히 끊어 놓으려 했다.

11) 2차 침략에서 거란은 고려 수도 (　　　)까지 함락했고, (　　　)는 철수하는 거란군을 공격해 고려인 1만 명을 구했다.

12) 2차 침략 때 (　　　)의 힘으로 외적을 물리치겠다는 의지를 담아 최초의 대장경인 (　　　　　)을 만들었다. 훗날 (　　　)의 침입으로 불에 탔다.

13) 고려가 쉽게 고개를 숙이지 않는 데 화가 난 거란은 (   )를 내놓으라 요구했고, 고려가 응하지 않자 3차 침략을 단행했다.

14) (   )이 압록강 근처 흥화진에서 거란군을 대파하고 퇴각하는 거란군을 (   )에서 격파했다.

15) 고려는 거란을 포함해 북방 유목 민족들이 다시 침략해 올 것에 대비해 압록강에서 동해안 도련포까지 (   )을 쌓았고, 수도 개경에는 (   )을 쌓았다.

ⓑ 윤관이 별무반을 조직한 까닭은?: 여진의 성장과 동북 9성 축조

1) 12세기 이후 거란의 세력이 약해지자 (   )이 세력을 키웠다. 고려의 국경 지대에서 몇 차례 전투가 벌어졌고, 고려군은 여진에 맞서기 위해 (   )의 주도 하에 (   )을 만들었다.

2) 윤관은 별무반을 이끌고 한반도 북동 지방에 있는 여진을 정벌하고 (   )을 쌓았다. 하지만 여진의 간곡한 청과 국력 소모로 인해 2년 만에 돌려주었다.

3) 1115년, 여진족의 완옌부 추장 아골타는 여진을 통일해 (   )을 세웠고 (   )를 쳐서 멸망시켰다. 그 후 (   )을 멸망시켜 중국 대륙의 중앙부, 화베이 지방 전체를 차지했다.

4) 금은 고려에 (   ) 관계를 요구했고, 고려에서 가장 권력이 강했던 문벌귀족 (   )은 금을 왕의 나라로 섬기기로 했다.

ⓑ 코리아를 세계에 알리다: 고려 전기의 활발한 대외 교류

1) 《고려사》에 '정종 6년 11월 대식국 상인 등이 와서 향신료와 방부제를 바쳤다. 왕은 그들을 후하게 대접하도록 했고 돌아갈 때도 (   )과 (   )을 하사했다.'라고 하는데, 여기서 말하는 대식국은 (   )를 뜻한다.

2) 아라비아 상인들은 예성강 하구에 있는 국제항 (   )를 통해 고려로 들어
  왔다.

3) 오늘날 한국을 영어로 (   )라고 하는 단어의 기원은 고려를 찾았던 아라
  비아 상인들이 서양에 고려를 소개할 때 만들어진 것이다.

4) 고려는 아라비아 상인은 물론 송, 요, 금, 일본과도 교역이 많았고, 특히 (   )과의
  교역이 활발했다.

5) 송은 군사력보다는 (   )이나 (   )에 의한 통치를 강조하는 (   )
  를 표방했다.

6) 송에서 수입한 것은 서적, 약재, 비단 등을 들 수 있으며, 주로 (   )들이 사용
  했다. 고려는 송에 금, 은, 나전 칠기, 종이, 인삼 등을 수출했다.

7) 고려는 거란과 세 차례 전쟁 후에는 다시 외교 관계를 맺고 교역했다. 고려는 거란
  에서 (   ) 기술을 받아들여 자체 대장경을 제작했다.

8) (   )은 금을 세우기 전까지만 해도 고려에 복속되어 있었다. 여진은 고려에
  와서 말과 화살을 바쳤다.

9) (   )과는 정부 차원의 교류가 활발하게 진행되지는 않았지만, 일본 상인들이
  유황이나 수은을 가져와 고려의 서적이나 인삼, 식량으로 바꿔 갔다.

3. 거란의 세 차례 침략 과정을 간단히 정리해 보자.

🌐 9장 내용을 한눈에 정리해 보자.

🅑 거란 대 고려

1. 빈칸을 채우며 10세기 말부터 시작된 거란의 세 차례 침략 과정을 정리해 보자.

	거란(요)	고려
침략 전 상황	– 10세기 초, 통일 왕국 건설 후 나라 이름을 '요'로 바꿈. – 고려에 사신을 보내 국교를 청하자 고려 태조가 ㉠( )함.	– 10세기 초, 건국 후 북진 정책 추진함. – ㉡( )의 침입에 대비해 광군 조직함.
거란의 1차 침략 (993년)	– 중국 본토(송) 공격 전 고려 제압 위해 전쟁 일으킴. – 고려의 여러 성 함락함.	– 비상 대책 회의에서 대신들이 ㉢( ) 주장함. – ㉣( ), 여진 정벌과 영토 개척 묵인 조건으로 국교 약속함.
	결과 거란–고려의 약속을 믿겠다며 철수함. 고려–여진 몰아내고 ㉤( ) 설치하며 최고의 실리 외교를 이룸.	
거란의 2차 침략 (1010년)	– ㉥( )의 정변을 구실로 다시 침략함. – 고려와 송 관계 끊으려는 목적 – 고려 수도 개경까지 함락함.	– 백성들이 강력하게 저항함. – ㉦( ), 철수하는 거란군 공격 – ㉧( )대장경 만듦.
	결과 거란–철수했지만 강동 6주 내놓으라 요구함. 고려–요구 받아들이지 않고 거란과 교류 끊음.	
거란의 3차 침략 (1018년)	– 요구 받아들이지 않는 고려에 다시 침략 단행함.	– ㉨( ), 홍화진과 귀주(귀주 대첩)에서 거란군 대파함.
	결과: 거란 격파한 고려의 국제적 위상 높아짐.	

🅑 여진 대 고려

1. 12세기 초 벌어진 고려와 여진 사이의 사건을 정리해 보자.

여진   고려

12세기 이전

- 고구려와 발해의 옛 영토인 만주, 함경도, 평안도 지역에서 살아감.
- 고려를 아버지의 나라로 섬기며 ㉠(   ) 을 바침.

- 여진족에게 식량, 옷, 지방 관직 줌.
- 국경 넘어 약탈하는 여진족 ㉡(   )함.

12세기 초반

- 완옌부의 세력이 커지기 시작해 고려 국경 지대에서 몇 차례 전투 벌임.
- 기병 공격하며 고려군에 ㉢(   )함.

- 여진에 맞서기 위해 특별 부대인 ㉣(   ) 만듦.
- ㉤(   )이 별무반 이끌고 한반도 북동 지방에서 여진 정벌하고 ㉥(   ) 쌓음.
- 2년 만에 여진의 요청에 ㉦(   ) 돌려줌.

- 완옌부 추장 아골타가 여진 통일하고 ㉧( )을 세움(1115년).
- 요를 공격해 멸망시킴(1125년).
- 고려에 ◎(   ) 관계 요구함.

- 금의 군신 관계 요구를 고려의 권력을 장악하고 있던 ㉩(   )이 받아들임.

⬭ 고려의 대외 교류

1. 고려와 다른 나라 간의 교류에 대해 설명하는 생각그물을 완성해 보자.

⊙(   )
- 고려의 문화 전수함.
- 고려의 수출품: 농기구, 식량, 인쇄술 문방구
- 고려의 수입품: 은, 말, 모피

ⓒ(   )
- 금 세우기 전, 고려에 복속 상태였음.
- 고려의 수출품: 말, 화살
- 고려의 수입품: 농기구, 식량

ⓒ(   )
- 군사적으로 고려와 교류 필요함.
- 고려의 수출품: 금, 은, 나전 칠기, 종이, 인삼
- 고려의 수입품: 서적, 약재, 비단, 선진 학문

고려

일본
- 국가 차원의 교류 활발하지 않음.
- 고려의 수출품: 서적, 인삼, 식량
- 고려의 수입품: 유황, 수은

- ⓔ(   )로 아라비아 상인들이와 교역함.
- 고려의 수출품: 금, 비단
- 고려의 수입품: 향료, 수은, 산호

1. 아래의 글을 읽고 물음에 답하시오.

10세기 초 중국 북쪽에서는 거란이 발해를 멸망시키고, 5대 10국으로 분열된 중국의 혼란을 틈타 만리장성 이남으로 세력을 넓혀 나갔다. 이후 송이 중국을 통일하였지만, 거란은 송을 군사력으로 압도하며 동아시아의 최강국으로 자리하였다.

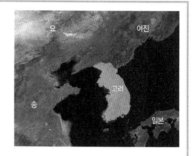

당시 동아시아에는 거란(요), 송, 서하, 대월 등의 군주가 모두 스스로 황제라 칭하고 자국의 실리에 맞게 교류하였다. 이러한 다원적 국제 질서 속에서 고려 국왕도 실리를 위해 적절한 외교 관계를 만들어 나갔다.

1) 윗글에 제시된 당시의 동아시아 정세를 요약해 보자.

2) 고려 왕조의 송과 거란에 대한 외교 관계를 생각하며, 위와 같은 국제 질서 속에서 고려가 평화를 유지할 수 있었던 저력은 무엇일지 자신의 생각을 써 보자.

01. 다음 빈칸에 들어갈 알맞은 것들로 묶인 것은?

10세기 중엽 동북아시아에서는 (㉠), (㉡), 고려가 각각 자신의 세력을 구축하며 다원적 국제 질서가 형성되었다. 고려는 (㉠)에 대해서는 친선 관계를, (㉡)에 대해서는 북진 정책을 통해 적대 관계를 이어갔다.

	㉠	㉡			㉠	㉡
①	송	여진		②	여진	거란
③	여진	송		④	거란	여진
⑤	송	거란				

02. 오른쪽 지도의 A 지역에 대한 설명으로 옳은 것만 고른 것은?

| 보기 |

ㄱ. 완옌부 부족이 통일했다.

ㄴ. 이들의 침입에 대비하여 고려는 30만 광군을 조직하였다.

ㄷ. 고려에 친선 관계를 요구하며 사신과 낙타를 보내왔다.

ㄹ. A와의 전쟁 후에 고려는 천리장성을 쌓았다.

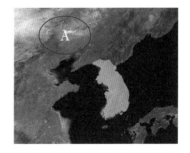

① ㄱ, ㄴ   ② ㄱ, ㄷ   ③ ㄱ, ㄷ, ㄹ   ④ ㄴ, ㄷ, ㄹ   ⑤ ㄱ, ㄴ, ㄹ

03. 다음의 사건들이 일어난 순서대로 나열하시오.

(가) 이자겸이 금의 요구를 받아들였다.

(나) 윤관이 별무반을 조직하였다.

(다) 동북 9성을 축조하였다.

(라) 아골타가 부족을 통일하였다.

04. 다음 고려의 대외 관계에 대한 설명 중 옳지 않은 것은?

① 고려는 거란을 상대로 서희 장군이 강동 6주를 얻어내고, 강감찬 장군이 귀주에서 크게 승리했다.

② 송과는 친선 관계를 유지했으며, 아라비아 상인들을 통해 '코리아'라는 이름으로 세계에 알려졌다.

③ 고려와 거란은 전쟁 이후에도 태조 왕건의 뜻에 따라 외교를 맺지 않았다.

④ 고려는 바다 건너 일본과도 무역을 했다.

⑤ 초기에는 여진에게 조공을 받았으나, 여진족이 금을 세운 이후로는 군신 관계를 맺었다.

05. 다음 빈칸에 알맞은 말을 써 넣으시오.

고려의 대표적인 국제 무역항인 (㉠)은/는 (㉡) 하구에 위치해 수도인 개경과 가깝고 수심이 깊어 무역선이 드나들기에 유리했다. 이곳을 통해 중국, 일본, 아라비아 상인까지 왕래하였다.

몽골의 간섭과 고려의 개혁

📖 고려, 당당하게 자주성을 되찾다

🌐 다음 소제목들을 바탕으로 10장에서 읽게 될 사건들을 예측해 보자.

> • 처인성 전투의 승리가 의미 있는 까닭은?: 몽골의 침략과 대몽 항쟁의 전개
>
> • 몽골풍과 고려양은 무슨 뜻일까?: 원의 내정 간섭과 권문세족의 성장
>
> • 전민변정도감을 만든 까닭이 뭘까?: 공민왕의 자주적 개혁 추진과 결과
>
> • 신진 사대부가 힘을 얻으면 누가 몰락할까?: 고려 말 신진 세력의 등장
>
> • 이성계는 왜 요동 정벌을 반대했을까?: 고려의 멸망과 조선의 건국

책을 읽으며

1. 몽골의 간섭과 고려의 개혁에 대한 내용을 읽으며 중요하다고 생각하는 부분에 밑줄 쳐 보자.

2. 부분별로 읽은 내용을 생각하며 빈칸을 채워 보자.

   ▶ 처인성 전투의 승리가 의미 있는 까닭은?: 몽골의 침략과 대몽 항쟁의 전개

   1) 13세기 초 테무친은 (   ) 고원에 흩어져 살던 여러 부족을 통일하고 (   ) 이 되어 사방으로 영토를 확장했다. 중국 대륙에서 경쟁을 벌이고 있던 금과 남송 도 모두 몽골 제국의 침략으로 멸망했다.

2) 중국 대륙을 정복한 몽골 제국은 (　　)으로 나라 이름을 바꾸고 수도도 (　　　　)으로 옮기며 모든 것을 (　　　　)식으로 바꾸었다.

3) 몽골은 세력을 확대하면서 (　　)을 압박했고, 금의 지배를 받던 (　　　　)이 반란을 일으켰다. 그 후 몽골은 거란을 제압하러 나섰고 거란은 (　　　　)로 도망쳐 왔다.

4) 몽골은 고려에 함께 거란을 소탕하자고 제의했고 두 나라 군대는 평안도 (　　　　)에서 거란을 소탕했다.

5) 몽골과 고려는 국교를 맺었고, 몽골이 고려에 막대한 (　　　　)을 요구했다. 몽골 사신 (　　　　　)가 공물을 받아 돌아가다 살해되자 몽골은 고려와의 국교를 끊어 버렸다.

6) 1231년 몽골군은 고려를 침략했고 (　　　　)는 몽골과의 항전을 지시했다.

7) (　　　　　)에서 박서가 관군과 백성을 지휘해 몽골군에 맞서 승리했고 (　　　　) 에서는 성에 있는 관리들은 도망가고 (　　　　)와 (　　　　)들이 몽골군을 물리쳤다.

8) 몇몇 전투에서 승리했지만 나머지 전투는 모두 패배하여 몽골군이 (　　　　)을 포위했다. 몽골은 고려 여러 지역에 (　　　　　　)를 배치해 고려를 간접적으로 지배하려 했다.

9) 몽골에 보내는 공물의 양도 크게 늘고, 고려 조정에 대한 간섭이 심해지자 최우는 몽골과의 항전을 결심하고 수도를 (　　　　　)로 옮겼다.

10) 몽골이 다시 침략해 왔고 살리타가 이끄는 몽골 주력 부대가 처인 부곡에 도착하 자 승려 출신 장수 (　　　　　)와 백성들이 목숨 걸고 싸웠고 살리타를 사살하며 대승을 거두었다.

11) 1234년 금을 멸망시킨 몽골은 더욱 자주 고려를 침략했고 처인성 전투를 이끈 김윤후가 (   )에서 승리했다. 하지만 강하고 잔인한 몽골에 고려는 점점 초토화되었다.

12) 몽골군은 한반도를 휘젓고 다니며 온갖 약탈과 파괴 행위를 일삼았다. 충청도 일대 수많은 양민을 학살하고 최소 20만 명 이상 포로로 끌고 갔다. 대구 부인사에 있던 (   )과 경주에 있던 (   )도 이때 불타 버렸다.

13) 몽골군에 의한 피해가 커지자, 무신 정권 내부에서는 몽골과 (   )를 맺자는 주장이 나왔지만, 최의가 끝까지 반대했다. 결국 무신들이 최의를 제거하고 강화를 체결했다.

14) 몽골은 고려에 (   )으로 환도하라고 요구했다. 개경으로 돌아가면 권력 기반이 모두 무너질 수 있던 (   )은 대몽 항쟁을 계속하기로 했다.

15) 무신들 사이에 권력 투쟁이 벌어졌고, 무신 정권 시대는 종말을 맞이했다. 이후 고려는 (   )로 천도한 지 39년 만에 (   )으로 환도했다.

16) 몽골은 나라 이름을 중국식인 (   )으로 바꾸고, 중국 대륙 전체를 통일했다. 고려에 대한 몽골의 내정 간섭은 더 심해졌다.

17) 무신 정권이 무너졌지만 (   )는 개경 환도를 반대하여 끝까지 대몽 항쟁을 벌였다. 고려와 원 연합군의 진압에도 삼별초는 (   )에서 (   ), (   )로 옮겨 가면서 3년 동안 저항하다가 진압되었고 이로써 대몽 항쟁도 끝났다.

❸ 몽골풍과 고려양은 무슨 뜻일까?: 원의 내정 간섭과 권문세족의 성장

1) 원은 고려의 (   )을 임명했고 고려를 원의 제후국 수준으로 낮췄다. 고려의 왕들은 원에 충성한다는 의미로 (   )자로 시작하는 시호를 써야 했다.

2) 왕을 부를 때 쓰는 호칭도 폐하에서 (   )로 격을 낮추었고, 왕이 될 왕자는 태자에서 (   )로 낮추었다.

3) 고려의 왕이 되려면 반드시 왕자 시절에 (   )에 가서 살아야 했다. 성장 후에는 원의 황실 여성을 아내로 맞아, 고려는 원의 사위 나라인 (   )이 되었다.

4) 원은 고려의 통치 조직을 2성 6부제에서 (   )와 (   ) 체제로 낮추도록 했다. 또한 고려의 대신들은 물론 왕도 (   ) 옷을 입었고 몽골식 변발을 해야 했다.

5) 원은 (   ) 정벌에 필요한 물자와 병사를 고려에 내놓으라 했고, 고려·원 연합군이 일본 정벌에 나섰지만 (   )으로 실패했다.

6) 원은 2차 정벌을 준비했고 일본을 정벌하기 위한 기구로 (   )을 설치했다. 이후 일본 정벌은 실패했지만 이 기구를 통해 더욱 노골적으로 고려에 대한 내정 간섭을 했다.

7) 원은 서경의 동녕부, 제주의 탐라총관부, 화주의 (   )를 직접 지배하기도 했다. (   )은 서경과 제주를 돌려 달라 요청했고 13세기가 끝나기 전에 두 지역을 되찾았다.

8) 해마다 늘어나는 공물 때문에 백성들의 고통은 커졌다. 원으로 보내는 처녀를 (   )라 했는데 이미 시집간 여성은 공녀로 보내지 않았기 때문에 딸을 아주 어린 나이에 혼인시키는 (   ) 풍습이 생기기도 했다.

9) 14세기로 접어든 후 원의 내정 간섭이 더 심해져 왕은 허수아비가 되었고 백성의 고통은 커졌다. 그런데도 원에 기대어 권력을 잡은 (   )은 원을 떠받들었다.

10) 권문세족은 원을 믿고 온갖 횡포를 부렸다. 마음대로 땅을 **빼앗아** (   )으로 만들고, 백성을 강제로 끌고 가 (   )처럼 일을 시켰다. 이로써 세금을 내야 할 백성이 줄었고, 고려 경제는 파탄 지경이 되었다.

11) 권문세족 중 가장 세력이 강했던 인물인 (   )의 여동생은 공녀로 원에 갔다가 원 황후의 자리까지 올랐다.

12) 몽골에서 전래된 풍습은 (   ), 고려의 풍습이 몽골에 전래된 것은 (   )이라 불렀다.

🅑 전민변정도감을 만든 까닭이 뭘까?: 공민왕의 자주적 개혁 추진과 결과

1) 14세기부터 곳곳에서 몽골 통치에 반발한 한족 농민의 반란이 일어났고 가장 세력이 큰 (   )은 원을 위협했다.

2) (   )은 원이 위기에 처하자 원의 간섭에서 벗어날 기회로 여겼다. 즉위하자마자 몽골 복식과 변발을 폐지하고, (   )을 강화하고 자주성 회복을 위한 개혁에 착수했다.

3) 공민왕은 (   )이 모여 작당하는 기구로 변질된 (   )을 없앴고, 관제를 원래대로 돌려놓았고, 관청들은 5일마다 왕에게 업무를 보고하게 했다.

4) 신하들과 정치 현안을 토론하는 (   )도 되살렸으며, 개혁에 반대하는 권문세족을 제거했다.

5) 공민왕은 (　　)의 연호를 거부하고 고려를 황제 국가로 선포했으며, (　　　　　) 을 폐지하고, (　　　　　　　　　)을 공격해 화주를 되찾았다.

6) 토지와 노비를 파악하는 임시 관청인 (　　　　　　　　)을 설치하고 승려 (　　　)을 개혁의 책임자로 임명했다. 이 기구는 (　　　　　)이 불법으로 빼 앗은 토지와 노비를 원래대로 돌려놓았다. 또한 억울하게 노비가 된 사람은 본래 신분인 (　　　)으로 돌려놓았다.

7) 유학 연구를 강화하기 위해 (　　　　)을 부활시켰다. 이 무렵, 중국에서는 홍건 적 출신의 주원장이 몽골을 북쪽으로 쫓아내고 (　　)을 건국했다. 공민왕은 명과 국교를 맺었다. 공민왕 개혁의 성과는 놀라웠으나 공민왕과 신돈의 관계가 틀어지 며 개혁은 중단되고 말았다.

🅑 신진 사대부가 힘을 얻으면 누가 몰락할까?: 고려 말 신진 세력의 등장

1) 원은 홍건적의 난을 제압하지 못하고 무너졌으며, 이어 명이 건국되고 고려는 홍 건적의 침략으로 (　　)과 수도인 (　　)까지 함락되었다. 공민왕은 (　　) 까지 피난을 가야 했다.

2) 홍건적의 침략으로 수도까지 잠시 빼앗긴 어수선한 상황에서 남쪽 해안 지방에는 (　　)들이 들끓었다. 왜구는 내륙으로 들어와 약탈하고 수도까지 위협했다. 지 방에서 거둔 (　　)을 개경으로 옮기는 것을 방해하기도 했다.

3) 우왕 때 본격적인 왜구 토벌을 위한 군사 작전을 강행했다. 특히 (　　　)과 (　　　　)가 왜구 토벌에 많은 공을 세웠다.

4) 왜구 토벌 과정에서 (　　　)은 직접 제작한 (　　)로 진포에서 왜선 500척 을 격파했다. 창왕 때는 박위가 (　　　　　)을 정벌하기도 했다.

5) 외적을 물리치는 무인들의 세력이 점점 커져 고려 말 (   ) 세력이 등장했고 최영, 이성계가 대표적 인물이었다.

6) 공민왕이 권문세족과 대결하는 과정에서 (   )를 끌어들였다. 이들은 대부분 낮은 직급의 (   ) 혹은 지방 (   )의 자제들이었다.

7) 신진 사대부는 (   )을 배운 유학자이며, 모두 (   ) 시험을 통해 관리가 되었다. 성리학은 명분과 도덕을 중요시했으며, 고려 말 (   )이 원에서 수입하면서 국내에 소개되었다.

8) 신진 사대부는 권문세족을 강하게 비판하며 개혁을 주장했고, 원과 멀리하고 (   )과 교류해야 한다는 입장이었다.

Ⓑ 이성계는 왜 요동 정벌을 반대했을까?: 고려의 멸망과 조선의 건국

1) 공민왕이 피살된 후 권문세족이자 문하시중인 (   )은 공민왕의 열 살짜리 아들을 (   )에 즉위시키고 실제 권력을 장악했지만 오래가지 못했다. 최영과 이성계가 이인임과 나머지 권문세족을 제거하고 권력을 잡았다.

2) 고려의 신흥 무인 세력과 신진 사대부가 권력을 장악할 무렵, (   )은 쌍성총관부 영토를 내놓으라며 그 자리에 (   )를 설치해 직접 통치하려 했다.

3) (   )은 명의 군대가 주둔해 있는 (   ) 지방을 정벌하자고 주장했고 (   )는 반대했다. 하지만 우왕이 최영의 손을 들어주었고 이성계는 5만 군사를 이끌고 요동 정벌을 떠났다.

4) 이성계의 정벌군은 압록강 하류에 있는 섬 (   )까지 갔다가 군대를 돌리며 반란을 일으켰다. 그 후 고려의 수도 (   )을 장악하며 최영을 처형하고 우왕을 끌어 내렸다.

5) 신진 사대부는 고려의 정치를 개혁하기 위해 힘을 합치고 있었지만 위화도 회군 이후 (   )와 (   )로 분열했다.

6) (   )는 고려를 유지한 상태에서 점진적인 개혁을 추구하고자 했고 (   ) 에 대해서도 우호적이었다. (   ), 이색 등이 대표적이다.

7) (   )는 권문세족이 가진 토지를 완전히 재분배하고 불교를 억압해야 한다 고 주장했으며, (   ), 조준 등이 대표적이다.

8) 이성계는 급진파와 손잡고 권문세족에게 (   )를 빼앗아 신진 사대부에게 나 눠 주는 (   )을 실시했다. 이로 인해 신진 사대부들의 경제적 기반이 탄탄 해졌다.

9) 급진파 신진 사대부들은 이성계와 새로운 왕조 건설을 진행하며 온건파를 모두 제 거했고 특히 (   )는 이성계의 아들 (   )에 의해 죽임을 당했다.

10) (   )이 이성계에게 왕위를 내주며 (   )의 역사가 시작되었다.

3. 공민왕의 개혁 정치를 원나라에서 벗어나려는 반원 자주 정책과 국내 정치를 개 혁하려는 내용으로 구분해 보자.

🌏 10장 내용을 한눈에 정리해 보자.

🅑 몽골의 침략

1. 빈칸을 채우며 13~14세기 몽골의 침략과 관련된 역사를 정리해 보자.

몽골의 침략 전 상황	• ㉠(　　　)의 반란에 몽골이 함께 소탕하자며 고려에 제안함. 평안도 강동성에서 거란 소탕함(1218년). • 몽골과 고려 ㉡(　　　) 맺음.: 몽골이 상국 행세를 시작함. • 몽골, 사신 저고여가 공물 받고 돌아가다 살해된 후 고려와 국교 끊음.
1차 침략 과정	• 몽골군, 고려 침략(1231년)→최씨 정권의 ㉢(　　　), 몽골과의 항전 지시함.→개경이 포위되고, 몽골과 강화 체결함.→몽골, ㉣(　　　　) 배치해 고려를 지배하려 함.→최우, 항전 결심하고 수도를 ㉤(　　　)로 옮김.
재침략 과정	• 몽골군, 다시 침략→최우, 항복 요구 거절함.→몽골군, 한반도 전역에서 살인과 약탈, ㉥(　　　)대장경 불타 없어짐.→㉦(　　　) 부곡에서 김윤후와 백성들이 대승을 거둠(1232년).→몽골, 금을 멸망시킨 후 여러 번 고려 침략함.→고려, ㉧(　　　) 전투 승리함.→무신들이 최의를 제거하고 강화 체결함.
강화 체결 후	• 몽골군, 고려에 ㉨(　　　) 환도 요구함.→권력 투쟁 끝에 ㉩(　　　　) 몰락하고, 개경으로 환도함(1270년).→나라 이름을 원으로 바꾼 몽골, 대륙 통일 후 고려에 대한 내정 간섭 심해짐.→㉪(　　　　), 개경 환도 반대하며 대몽 항쟁 이어가다 결국 진압됨.

2. 여러 차례 침략 이후 고려에 어떤 변화가 생겼는지 알아보자.

• 고려, 원의 제후국 또는 부마국 수준으로 낮아짐.
• 통치 조직 변경: 2성 6부제→첨의부와 4사 체제로 격을 낮춤.
• 고려 대신의 복장 변경: 몽골 옷과 몽골 변발을 해야 함.
• ㉠(　　　　) 설치, 일본 정벌에 필요한 물자와 병사 조달 요구함.: 일본 정벌 실패함.
• 고려 일부 지역, 원이 지배함.: 서경 동녕부, 제주 탐라총관부, 화주 ㉡(　　　　)
• 백성들의 고통 증가함: 인삼, 매 등 공물과 공녀 보내야 했음.
• 원에 기대어 권력을 잡은 ㉢(　　　)이 온갖 횡포를 부림.
• 몽골 풍습이 고려에 전파되고(몽골풍), 고려 풍습이 몽골에 전래되기도 함(고려양).
⇒ 14세기 이후 원의 내정 간섭 한층 심해짐.

🅑 공민왕의 개혁

1. 14세기 중엽 즉위한 공민왕의 개혁과 결과를 정리하며 빈칸을 채워 보자.

당시 원나라 상황
홍건적의 난으로 원이 위기에 처함.

공민왕의 개혁
- '충' 자 시호 거절함.
- 관리들의 몽골 복식, 변발 폐지
- 개혁 정책
  - 정방 없애고 관제 원래대로 돌려놓음.
  - 기철 등 개혁에 반발하는 ㉠(   ) 제거함.
  - ㉡(   ) 설치, ㉢(   )을 개혁 책임자로 임명
  - 성균관 부활
- 원과 대결함.
  - 원의 연호 거부, 고려를 황제 국가로 선포
  - ㉣(   ) 폐지, ㉤(   ) 공격, 화주 되찾음.
  - 제주도 다시 병합
- 명과 국교 맺음.

- **개혁 결과: 실패**
- **실패 원인:**
  - 공민왕과 신돈의 관계 틀어져 신돈 유배 후 살해되고, 공민왕도 살해됨.
  - 홍건적의 침입으로 정치 상황 어수선함.
  - 국가 재정 어려워짐.: 개경까지 위협하는 왜구의 약탈 심해짐.

- 당시 권력 장악한 권문세족이자 문하시중인 이인임에 의해 공민왕의 아들 ㉥(   ) 즉위함.

ⓑ 신흥 무인 세력, 신진 사대부 등장

1. 고려 말에 새로 등장한 두 세력에 대해 알아보자.

	㉠( )	㉡( )
등장 배경	• 왜구 토벌에 공을 세우며 등장	• 과거 시험 통해 관리 되었다가 개혁 정책 펴는 공민왕이 끌어들임. • 유교 지식과 행정 능력 뛰어난 젊은 학자들
대표 인물	최영, 이성계	온건파: 정몽주, 이색 급진파: 정도전, 조준

> 고려 말의 정치를 주도하기 시작함.

2. 빈칸을 채우며 신흥 무인 세력과 신진 사대부가 권력을 장악한 이후 고려말 역사를 정리해 보자.

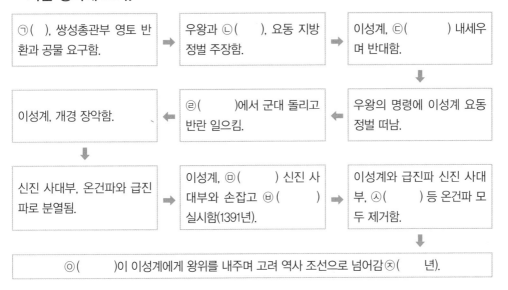

㉠( ), 쌍성총관부 영토 반환과 공물 요구함. ➡ 우왕과 ㉡( ), 요동 지방 정벌 주장함. ➡ 이성계, ㉢( ) 내세우며 반대함.

㉣( )에서 군대 돌리고 반란 일으킴. ⬅ 우왕의 명령에 이성계 요동 정벌 떠남.

이성계, 개경 장악함. ⬅ ㉣( )에서 군대 돌리고 반란 일으킴.

신진 사대부, 온건파와 급진파로 분열됨. ➡ 이성계, ㉤( ) 신진 사대부와 손잡고 ㉥( ) 실시함(1391년). ➡ 이성계와 급진파 신진 사대부, ㉦( ) 등 온건파 모두 제거함.

㉧( )이 이성계에게 왕위를 내주며 고려 역사 조선으로 넘어감㉨(년).

그 당시 세계는?

13세기 초 영국에서는 왕의 권력을 제한하는 내용을 담은 대헌장에 서명하며 의회 민주주의가 발전하기 시작했다. 14세기 초반 영국과 프랑스 사이에 프랑스의 왕위 계승권을 놓고 두 나라가 다툰 '백년 전쟁'이 벌어졌고, 이 전쟁에서 패배한 영국에서는 왕위 계승권을 놓고 귀족 가문 간에 '장미 전쟁'이 벌어졌다. 두 전쟁은 유럽이 중세 봉건 사회에서 중앙 집권 국가로 성장하는 중요한 계기가 되었다.

1. 아래 가상의 법정에서 이뤄지는 이성계에 대한 공판 내용을 잘 읽고, 내가 판사라면 이성계에 대해 어떤 판결을 내릴지 생각해 보자. (판결문에는 판결의 결과와 그렇게 판결한 사유를 자세히 적는다.)

재판장

검사

〈사건 개요〉

이성계는 고려의 장수로서 왕의 명령에 불복종하였다. 요동 정벌에 필요한 5만 명의 군사들을 이끌고 요동으로 가던 중 변심하여 위화도에서 회군하여 개경을 공격한 죄를 묻고자 한다.

변호사

〈검사 측 주장〉

• 이유가 무엇이든 장수는 왕명에 무조건 따라야 한다.
• 요동 정벌이 왜 필요한지에 대해서는 출병 전에 충분히 논의되었다.
• 위화도 회군은 나라를 위한 것이 아니라 지극히 개인적이고 자신의 안위를 우선적으로 생각한 결정이었다.

〈변호인 측 주장〉

• 아무리 왕명이라고는 하나, 질 것이 뻔한 전쟁에 5만 명 군사의 목숨을 헛되이 할 수는 없다.
• 4대 불가론 등 실질적인 이유를 제시했지만 무시당하였다.
• 나를 요동 정벌에 보낸 것은 최영과 우왕이 나의 세력이 강해지는 것에 불만을 품고 계획한 것이다.

{ 판 결 문 }

_____

_____

_____

_____

01. 다음 설명 중 옳은 것에는 ○표, 틀린 것에는 ×표를 하고 틀린 부분을 찾아 바르게 고치시오.

1) 몽골은 사신의 죽음을 구실로 고려를 침략했다.

2) 몽골의 침략을 부처님의 힘으로 이겨내기 위해 팔만대장경을 조판했다.

3) 권문세족은 성리학을 공부한 집단으로, 주로 과거를 통해 관직에 진출했다.

4) 고려와 원의 교류가 활발해지면서 원에서는 고려의 옷, 음식 등 몽골풍이, 고려에서는 몽골어, 변발 등 고려양이 유행했다.

5) 몽골과 고려 연합군은 귀주성에서 거란족을 격퇴하고 외교 관계를 맺었다.

02. 다음 중 (가) 시기에 있었던 일로 볼 수 <u>없는</u> 것은?

몽골 1차 침입 　　(가)　　 개경 환도

① 다루가치 배치 　　　　② 삼별초 항쟁
③ 최씨 무신 정권 붕괴 　　④ 처인성 승리
⑤ 충주성 승리

03. 다음 중 몽골과의 전쟁 이후 고려 사회의 모습으로 옳지 <u>않은</u> 것은?

① 왕의 이름 앞에 '충' 자가 붙은 시호를 받았다.

② 공녀로 잡혀가지 않기 위해 늦게 시집보내는 풍습이 생겼다.

③ 고려는 원의 간섭을 받기는 했지만 독립국의 지위를 유지했다.

④ 원은 서경, 제주 등 고려 내에 직접 통치하는 지역을 두었다.

⑤ 쌍성총관부를 공격해 철령 이북 땅을 되찾았다.

04. 다음 중 공민왕의 반원 자주 정책으로 볼 수 <u>없는</u> 것은?

① 원의 연호를 거부하고 고려를 황제국으로 선포했다.

② 원의 변발과 복식을 없애고 기철 세력을 제거했다.

③ 정동행성을 폐지하고 원의 간섭에서 벗어나려 했다.

④ 전민변정도감을 설치해 억울하게 노비가 된 사람들을 풀어 주었다.

⑤ 쌍성총관부를 공격해 철령 이북 땅을 되찾았다.

05. 다음에서 설명하는 세력의 특징으로 옳은 것은?

공민왕의 개혁 추진 과정에서 성장하였으며, 권문세족과 대립하였다.

① 대부분 낮은 직급의 관리 혹은 지방 향리의 자제들이었다.

② 명망 있는 가문 출신이거나 음서로 관리가 되었다.

③ 홍건적이나 왜구를 격퇴하면서 백성들의 신망을 얻었다.

④ 성리학을 공부하고 대농장을 소유한 귀족층을 말한다.

⑤ 불교에 사상적 기반을 두고 명과의 화친을 주장했다.

06. 지도가 나타내는 사건을 일으킨 인물에 대한 설명으로 옳지 <u>않은</u> 것은?

① 쌍성총관부를 공격할 때 공을 세웠다.

② 과전법을 실시해 신진 사대부의 지지를 얻었다.

③ 신흥 무인 세력의 토지를 몰수해 백성들에게 나눠 주었다.

④ 창왕을 끌어내리고 공양왕을 옹립했다.

⑤ 고려 왕조를 유지하려는 온건파를 제거하고 실권을 장악했다.

07. 다음 사건이 일어난 순서대로 나열하시오.

> (가) 이성계는 위화도에서 군대를 돌려 개경으로 향했다.
>
> (나) 우왕과 최영이 요동 정벌을 주장했다.
>
> (다) 명이 철령위를 설치하며 땅을 돌려달라고 요구했다.
>
> (라) 최영과 이성계는 이인임을 제거하며 권력을 장악했다.

고려의 생활과 문화

📖 남녀차별 없는 성숙한 문화를 자랑하다

책을 읽기 전에

🌐 **다음 질문에 답하며 11장 내용을 예측해 보자.**

> • 고려 시대의 가족 제도와 남녀평등 정도는 신라와 어떤 점이 다를지 생각해 보자.
>
> • 고려의 불교 예술품은 신라와 어떤 점이 달라졌을지 생각해 보자.
>
> • 고려의 청자가 세계적으로 알려지게 된 까닭은 무엇일지 생각해 보자.

책을 읽으며

1. 고려의 생활과 문화에 대한 내용을 읽으며 중요하다고 생각하는 부분에 밑줄 쳐 보자.

2. 부분별로 읽은 내용을 생각하며 빈칸을 채워 보자.

🅱 박유가 사람들에게 손가락질당한 까닭은?: 고려의 가족 제도와 풍속

1) 고려 시대는 (   )가 원칙이었고 대체로 남자 20세, 여자 18세를 전
   후해 결혼 후 가정을 꾸렸으며, (   )와 (   )으로 구성된 소규모 가족 형태
   가 많았다.

2) 결혼은 같은 (   )이나 계층끼리 했으며 다른 신분 간의 결혼은 허용되지 않았
   다. 혼인식은 (   )의 집에서 했으며 자녀를 낳고 그 자녀가 다 자라 분가할 때
   까지 신붓집에서 사는 (   )가 보편적인 결혼 생활이었다.

3) 고려 시대에는 남성과 여성의 (   )가 대등했다. 족보에는 태어난 (   )대로 이름을 올렸다. 외손자도 친손자와 마찬가지로 족보에 이름을 올렸다.

4) 부부는 독립적으로 (   )을 관리했고 결혼할 때 준비한 패물이나 친정에서 상속받은 재산은 남편이 손을 댈 수 없었다.

5) 부모가 죽고 난 후 (   )을 물려줄 때도 남녀 자식을 가리지 않고 똑같이 나누었다. 공평하지 않게 상속했다면 (   )에 이의 제기를 할 수 있었다.

6) 조상에 대한 (   )는 아들과 딸이 돌아가면서 모셨다. 친가와 외가 쪽 제사를 모두 지내면서도 차등이 없었다. 여성이 한 집안을 대표하는 가장인 (   )가 될 수도 있었다.

7) 고려 시대는 친가와 외가의 구분 없이 (   )이 통일되었다. 할아버지는 한아비, 할머니는 한어미, 엄마와 아빠의 남자 형제는 (   ), 여자 형제는 (   )라 했다.

8) 고려 시대 (   )는 함께 노동하고 함께 불교 신앙을 따르는 농촌 공동체였다.

🅱 고려 전기의 불상은 왜 클까?: 고려 시대 불교 예술의 발달

1) 고려 시대에도 (   )가 발달했다. 귀족들은 불교의 경전을 손으로 베끼고 그림을 그려 넣는 (   )을 만들기도 했다. 사경을 만들면 불교에서 말하는 (   )이 쌓인다고 믿었다.

2) 고려의 불상은 시기별로 뚜렷한 차이가 있다. 고려 초기와 전기의 불상들은 대체로 (   )이 떨어졌다. 인체 균형이나 눈, 코, 입, 귀의 (   )도 맞지 않아 투박하게 느껴졌다.

3) 고려 초기와 전기의 불상으로는 경기 하남의 하사창동 (   ) 석가여래 좌상, 충남 논산 관촉사 (   ) 미륵보살 입상, 경북 안동 이천동 마애 여래입상, 경기 파주 용미리 석불 입상 등이 있었다.

4) 고려의 통치 체제가 정비되면서 (   ) 사회가 안정을 찾았고, (   ) 들은 중앙 귀족으로 변신했다. 전기의 소박하고 자유분방했던 불상이 중기로 넘어가면서 형식적이고 근엄하게 바뀌었다.

5) 고려 중기의 대표적인 불상인 (   ) 소조 아미타여래 좌상은 근엄한 표정을 짓고 있다. 이 불상은 찰흙 같은 것을 붙이면서 모양을 만드는 (   ) 기법으로 제작되었으며, 극락세계를 관장하는 부처인 (   )가 앉아 있는 형태이다.

6) 불상의 양식은 고려 후기 (   )의 영향으로 다시 바뀌었다. 금동 관음보살 좌상이 대표적인데, 얼굴은 역삼각형이고 상체는 가늘고 길었다. 몸에 부착한 장식도 화려했다. 원에서 유행한 (   )의 영향을 받았다.

7) 고려 석탑은 (   )의 양식을 계승하면서도 다각 다층 형태로 만들어졌다. 고려 전기를 대표하는 석탑은 강원도 평창 (   ) 8각 9층 석탑으로, 주로 3층이었던 신라 때 석탑에 비해 9층까지 높아졌으며, 탑의 생김도 4각형에서 8각형으로 바뀌었다.

8) 고려 후기를 대표하는 석탑은 (   )에 있는 경천사지 10층 석탑이다. 원의 영향을 받아 이국적인 느낌을 준다.

9) 공덕이 높은 승려의 사리를 모신 (   )은 대체로 팔각형이고 몸체 중간 부분은 원통 형태가 많았다. 경기 여주 고달사지 승탑이 대표적이다.

10) 고려 후기에는 불교적 내용을 담은 (　　　)도 많이 만들어졌다. 주로 왕실이나 권문세족이 극락왕생과 복을 기원하며 그리도록 했다. 대표적인 것은 (　　　) 이다.

11) 고려 전기에 (　　　) 궁궐이 있었던 터인 (　　　　　)를 빼면 고려의 건축물은 별로 남아 있지 않다. 그나마 남아 있는 건물은 대부분 사찰이다. 안동 봉정사 극락전, 영주 부석사 무량수전, 예산 수덕사 대웅전 등이 있는데, (　　　) 시대에 지은 절을 고쳐 지은 것이었다.

12) 안동 봉정사 극락전은 고려의 (　　　) 건축물 중 가장 오래된 건물이다. 영주 부석사 무량수전은 (　　　　)기둥으로 유명하다.

Ⓑ 고려 시대에 가장 유명한 사립 학교는 무엇일까?: 불교 사상, 유학과 도교의 발달

1) 고려는 '불교'가 융성했던 시대로 승려 중에서 덕이 높은 이를 뽑아 국사와 왕사로 임명하기도 했다. 그중 대각국사 (　　　)은 11세기 후반 (　　)에서 불교를 공부하고 돌아와 불교 통합 운동에 나섰다.

2) (　　　)은 교리를 중요하게 여기는 종파이고, (　　　)은 참선을 중요하게 여기는 종파로 고려 전기에는 교종이 우세했다.

3) 의천은 교종을 (　　　)으로 단일화해 통합하려 했다. 그다음에는 (　　　　)을 창시해 교종과 선종을 합치려 했지만, 의천이 죽자 종파끼리 다시 분열했다.

4) 무신 정권은 참선을 통해 깨달음을 얻으면 누구나 부처가 될 수 있다는 (　　　)을 훨씬 좋아했다.

5) 무신 집권 시기에 권력과 결탁해 잇속을 챙기는 사찰들도 나타나 불교가 타락하는 조짐을 보이자 보조국사 (　　　)이 나섰다.

6) 지눌은 (　　　　　　)라는 단체를 조직해 불교 개혁에 뛰어들어 선종을 중심으로 종파를 통합하려 했다. 참선과 교리를 함께 수행해야 한다는 (　　　　　), 깨달음을 얻은 후에도 계속 수행해야 한다는 (　　　　)를 주장했다.

7) 지눌의 뒤를 이은 (　　　)은 유교와 불교를 하나로 통합하려는 (　　　　) 를 주장했다. 천태종의 (　　　)도 불경 낭송을 통해 극락왕생하자는 (　　　) 을 벌였다. 하지만 이 모든 개혁은 대부분 실패했다.

8) 불교가 백성들의 종교였다면 (　　　)은 국가의 통치 이념으로 자리 잡았다. 유교적 소양을 갖춘 인재를 양성하기 위해 국립 대학인 (　　　　), 지방에는 (　　) 를 세웠다.

9) 고려 시대에는 명문 사학도 많았다. 대표적으로 최충의 (　　　　　)이 있다. 이 학당을 포함해 12곳의 사학을 사학 12도라고 불렀다.

10) 고려 시대에는 여전히 (　　　)가 유행했다. 특히 왕실에서 도교를 보호했으며, 도교 사원인 복원궁을 궁궐 안에 설치하고 왕실이 직접 하늘에 제사를 지내는 도교 행사인 (　　　)를 지내기도 했다.

11) 신라 말부터 퍼지기 시작한 (　　　　　　)도 고려 시대에 널리 퍼졌다. 서경 천도를 주장한 (　　　) 또한 풍수지리설의 영향을 받았다.

⊕ 세계에서 가장 오래된 금속 활자 인쇄본은?: 인쇄술의 발달과 역사서의 편찬

1) 거란 침략 때 만든 고려 최초의 대장경은 (   )이라 하는데, (   ) 침략 때 불에 탔다. 그러자 (   )가 다시 대장경을 찍기 위한 목판인 (   )을 만들도록 했다.

2) 대장경판을 만드는 데 (   )이 걸렸고, 목판의 수만 8만 장이 넘었다. 완성 후 강화도 (   )에 보관했다가 (   ) 시대에 경남 합천 (   )로 옮겼다.

3) 해인사 대장경판은 목판이 8만 장을 넘는다 해서 (   )이라 불렀다.

4) 고려는 목판 인쇄술에 이어 세계 최초로 금속 활자를 발명해 책을 인쇄했다. (   ) 제도의 시행으로 시험공부를 하는 사람이 많아지면서 책을 많이 찍기 위해 목판보다 견고한 (   ) 활자를 쓰기 시작했다.

5) 금속 활자를 만들어 찍은 첫 번째 책은 《상정고금예문》으로, (   )과 전쟁 중 만들었으나, 안타깝게도 금속 활자로 찍었다는 기록만 남아 있다.

6) 현재 존재하는 책 가운데 금속 활자로 인쇄한 가장 오래된 책은 청주 흥덕사에서 간행한 (   )이 있다. 고려뿐 아니라 전 세계에서 가장 오래된 금속 활자본으로 인정을 받았다.

7) 팔만대장경을 간행한 기관은 (   )이었다. 대장도감에서 13세기 중엽 만들어진 의학 서적으로 현존하는 가장 오래된 의학 서적은 (   )이 있다.

8) 고려 시대에는 역사 서적이 많이 편찬되었는데, 지금 남아 있는 가장 오래된 역사서는 (   )의 (   )이다. 총 50권으로 구성되어 있고 삼국 시대부터 후삼국까지의 역사를 담고 있다.

9) 《삼국사기》는 (   )적 합리주의를 따랐기 때문에 설화나 신화는 별로 다루지 않았다. 또한 고려가 (   )를 계승한 나라라고 보았기 때문에 신라를 위주로 역사를 서술했다.

10) 무신 집권기에 (   )는 《동국이상국집》을 썼는데, 여기에 〈동명왕 편〉이 실려 있다. 이는 (   )의 건국 신화를 담고 있다.

11) 원 간섭기로 접어든 후 승려 (   )은 단군의 건국 신화를 최초로 수록한 《(   )》를 썼고, 이승휴는 《제왕운기》를 통해 (   )을 우리 민족 최초의 국가로 기록했다.

🅑 세계가 놀라는 고려청자의 비법은 뭘까?: 고려청자와 고려의 공예

1) 고려 시대는 (   ) 문화가 발달했으며 고려 초기까지만 해도 송의 기법을 따라 자기를 만들었으나 고려만의 독창적 기법을 개발해 (   )가 탄생했다.

2) 고려청자를 만드는 방식은 시기별로 약간씩 다른데, 고려 전기에 해당하는 11세기까지는 문양을 넣지 않고 (   )색으로 칠한 청자가 유행했다.

3) 12세기부터는 (   )가 유행했다. 상감 청자는 상감 기법으로 만든 청자로 그릇 표면에 문양이나 그림을 새긴 후 바탕색과 다른 색의 흙을 메워 넣는 방식이었다. 다양한 색상의 무늬를 만들 수 있어 화려함을 더 강조했다.

4) 고려청자는 병, 항아리, 대접, 접시, 찻잔 등 여러 형태로 만들어졌으며, 주로 (   )들의 생활 도구로 쓰였다. 이 밖에도 향을 피울 때 쓰는 향로나 목이 긴 형태의 정병은 (   ) 의식에 쓰이는 도구들이었다.

5) 14세기부터는 고려청자 기술이 점차 쇠퇴했다. (   ) 과정에서 수많

은 청자 기술자들이 죽거나 끌려갔고, (   )들이 전라도 해안 지방을 약탈해 부안, 강진 등 청자를 만드는 시설들이 파괴되었기 때문이다.

6) 고려 후기부터는 순청자에 산화철 안료로 문양이나 그림을 새긴 (   ) 가 유행했다.

7) 고려 시대에는 청자 외에도 금속 공예가 발전했다. 금속 그릇의 표면에 흠을 내서 은실을 입히는 (   ) 입사 기법이 유행했다.

8) 고려 시대에는 목공예도 발전했는데, 나무로 만든 제품의 표면에 옻칠을 하고 그 위에 자개를 붙이는 (   ) 공예가 발달했다.

9) 고려 시대 예술 가운데 글씨는 중국 (   )의 구양순체가 인기를 얻었고, 그림은 전 기에는 (   )의 영향을 받은 산수화가 유행했다가 후기에는 (   )의 영향을 받아 사군자 같은 문인화가 유행했다.

10) 음악은 (   )에서 수입한 대성악을 바탕으로 (   )을 발전시켰다. 아악은 궁 중에서 연주하는 음악이었다. 반면 서민들 사이에는 우리 고유의 노래인 (   ) 가 만들어지기도 했다.

3. 고려 시대 불교 예술의 특징을 기억나는 대로 정리해 보자.

💡 11장 내용을 한눈에 정리해 보자.

🔶 고려 사람들의 생활 풍속

1. 빈칸을 채우며 고려 시대의 생활 풍속의 특징을 알아보자.

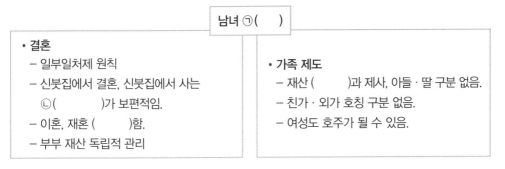

남녀 ㉠(   )

- **결혼**
  - 일부일처제 원칙
  - 신붓집에서 결혼, 신붓집에서 사는 ㉡(   )가 보편적임.
  - 이혼, 재혼 (   )함.
  - 부부 재산 독립적 관리

- **가족 제도**
  - 재산 (   )과 제사, 아들 · 딸 구분 없음.
  - 친가 · 외가 호칭 구분 없음.
  - 여성도 호주가 될 수 있음.

🔶 고려의 불교 건축물

1. 고려의 불상, 사찰 등 불교 건축물이 어떻게 변화했는지 정리해 보자.

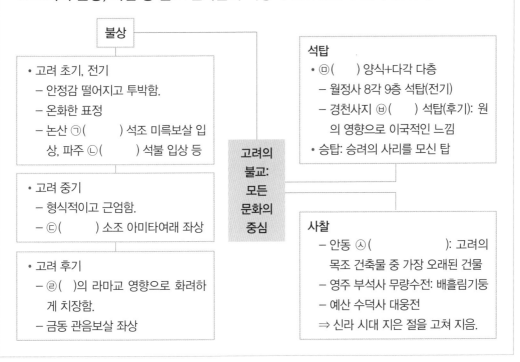

불상

- **고려 초기, 전기**
  - 안정감 떨어지고 투박함.
  - 온화한 표정
  - 논산 ㉠(   ) 석조 미륵보살 입상, 파주 ㉡(   ) 석불 입상 등

- **고려 중기**
  - 형식적이고 근엄함.
  - ㉢(   ) 소조 아미타여래 좌상

- **고려 후기**
  - ㉣( )의 라마교 영향으로 화려하게 치장함.
  - 금동 관음보살 좌상

고려의 불교: 모든 문화의 중심

석탑
- ㉤(   ) 양식+다각 다층
  - 월정사 8각 9층 석탑(전기)
  - 경천사지 ㉥(   ) 석탑(후기): 원의 영향으로 이국적인 느낌
- 승탑: 승려의 사리를 모신 탑

사찰
  - 안동 Ⓐ(   ): 고려의 목조 건축물 중 가장 오래된 건물
  - 영주 부석사 무량수전: 배흘림기둥
  - 예산 수덕사 대웅전
  - ⇒ 신라 시대 지은 절을 고쳐 지음.

B 고려의 종교와 사상, 문화와 예술

1. 빈칸을 채우며 고려의 불교 사상을 순서에 따라 정리해 보자.

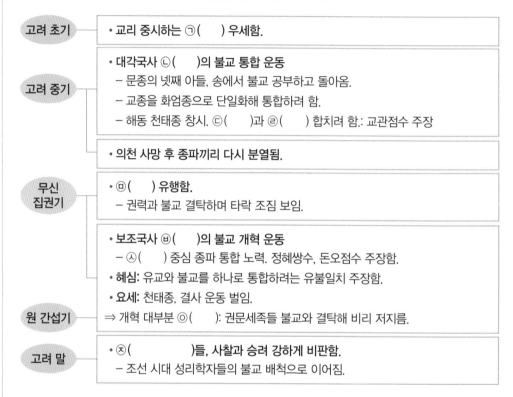

고려 초기
• 교리 중시하는 ㉠(　　) 우세함.

고려 중기
• 대각국사 ㉡(　　)의 불교 통합 운동
　– 문종의 넷째 아들, 송에서 불교 공부하고 돌아옴.
　– 교종을 화엄종으로 단일화해 통합하려 함.
　– 해동 천태종 창시. ㉢(　　)과 ㉣(　　) 합치려 함.: 교관겸수 주장

• 의천 사망 후 종파끼리 다시 분열됨.

무신 집권기
• ㉤(　　) 유행함.
　– 권력과 불교 결탁하며 타락 조짐 보임.

• 보조국사 ㉥(　　)의 불교 개혁 운동
　– ㉦(　　) 중심 종파 통합 노력. 정혜쌍수, 돈오점수 주장함.
• 혜심: 유교와 불교를 하나로 통합하려는 유불일치 주장함.
• 요세: 천태종, 결사 운동 벌임.

원 간섭기
⇒ 개혁 대부분 ㉧(　　): 권문세족들 불교와 결탁해 비리 저지름.

고려 말
• ㉨(　　　　)들, 사찰과 승려 강하게 비판함.
　– 조선 시대 성리학자들의 불교 배척으로 이어짐.

2. 설명을 완성하며 고려에서 유행했던 도교와 풍수지리설에 대해 알아보자.

• 도교의 유행
　– ㉠(　　)에서 도교 보호함. 사원인 복원궁을 궁궐 안에 설치, 초례를 지내기도 함.
• 풍수지리설의 유행
　– ㉡(　　) 말부터 널리 퍼짐. 서경 천도 주장한 묘청도 풍수지리설의 영향 받음.

3. 답을 완성하며 고려 시대 유학에 대해 알아보자.

Q: 유학이 고려에서 어떤 역할을 했는가?
A: 국가의 통치 이념으로 자리 잡았다.

Q: 유교적 소양을 갖춘 인재 양성 기관을 설명하면?
A: 국립 대학인 ㉠(   ), 지방의 ㉡(   ), 최충의 구재학당을 비롯해 ㉢(   )와 같은 사립
   학교가 있었다.

Q: 고려 전기와 후기 유학의 차이를 설명하면?
A: 전기는 유교 경전 공부가 중심이었다. 중기에는 시나 문장 짓는 글쓰기가 중요해졌다. 무신 집권
   기에는 유학이 쇠퇴하다, 후기에는 신진 사대부들이 남송에서 수입된 ㉣(   )을 고려 사회 문
   제 해결하기 위한 개혁 사상으로 받아들였다.

4. 고려의 인쇄술에 대해 정리해 보자.

㉠( ) 인쇄	금속 ㉣( )

• ㉡(   )
  – 거란 침략 때 만듦. 몽골 침략 때 불탐.
• ㉢(   )
  – 몽골 침략 때 만듦. 현재 해인사에 원본 그대로 남아 있음.
	• 고려, 세계 최초로 금속 활자 발명함.
	•《상정고금예문》(1234): 최초 금속 활자로 찍은 책. 기록만 남아 있음.
	•《㉤( )》(1377): 세계에서 가장 오래된 금속 활자본으로 공식 인정받음.

5. 고려에서 편찬한 역사서에 대해 알아보자.

전기	《삼국사》,《실록》: 현재 전해지지 않음. 《㉠( )》: 김부식 편찬. 남아 있는 가장 오래된 역사서. 유교적 합리주의에 따라 편찬. ㉡( ) 위주 역사 서술함.
무신 집권기	《동국이상국집》: 이규보 씀. ㉢( )의 건국 신화인 〈동명왕 편〉이 실려 있음.
원 간섭기	《삼국유사》: 승려 ㉣( ) 씀. 최초로 ㉤( )의 건국 신화 수록함. 《제왕운기》: 이승휴 씀. ㉥( )을 우리 민족 최초의 국가로 기록함.
후기	《사략》: 이제현 씀. 공민왕 때 편찬됨. 현재 전해지지 않음.

6. 제작 방식 변화에 따라 번호를 매기며 고려청자에 대해 알아보자.

1	• 고려 초기, 중국 송의 기법에 따라 자기 만들다 독창적인 고려청자가 탄생함.
	• 고려청자 기술 쇠퇴함. 　– 대몽 항쟁 과정에서 청자 기술자들이 죽거나, 왜구의 약탈로 부안, 강진 등 청자 만드는 　　시설 파괴되어 청자 제작 기술 쇠퇴함.
	• 순청자 유행함. 　– 문양을 넣지 않고 비취색으로 칠함.
	• 상감 기법으로 만든 청자가 유행함. 　– 그릇 표면에 문양이나 그림 새긴 후 그 자리에 바탕색과 다른 색의 흙을 메워 넣는 방식 • 귀족들의 생활 도구는 물론 기와나 전돌도 청자로 만듦.
5	• 청자 제작에 새로운 기법으로 만든 분청사기 유행함. • 청자 열풍이 평민에게 확대되어 품질 떨어지는 청자가 많이 생산됨.

7. 밑줄 친 부분을 맞게 수정하며 고려의 공예 기술과 예술에 대해 알아보자.

〈공예 기술〉

금속 공예도 발전했는데, 금속 그릇의 표면에 흠을 내어 은실을 입히는 ㉠은실 기법이 유행했다. 금이나 은으로 병이나 잔을 도금해 사용하기도 했다. 목공예 분야에서는 나무로 만든 제품의 표면에 먼저 옻칠을 하고 그 위에 자개를 붙이는 ㉡옻칠기 공예가 발전했다.

〈예술〉

글씨는 당의 서예가인 구양순의 글씨체를 뜻하는 ㉢당 글씨체가 인기를 얻었고, 그림은 송의 영향을 받은 산수화가 유행하다가 후기에는 원의 영향을 받아 ㉣군자화 같은 문인화가 유행했다.
음악도 송에서 수입한 대성악을 바탕으로 궁중에서 연주하는 음악인 ㉤궁악을 발전시켰다. 서민들 사이에는 우리 고유의 노래인 속요가 만들어지기도 했다.

역사 논술

1. 외국인에게 고려의 문화를 소개하는 블로그를 만들어 보자.

1) 고려의 문화 중 소개하려는 분야 한 가지를 정한다.

    예) 고려의 불상, 가족 제도와 풍속, 고려의 공예품, 금속 활자 등

2) 이해를 돕기 위한 보조 자료로 어떤 것들을 활용할 것인지 적어 둔다.

3) 쉽고 명료한 문장으로 고려 문화를 소개한다.

역사 이야기
History

프롤로그 | 블로그 | 역사 정보 | 역사 리뷰 | 역사 도서 | 독서 한 줄 | 기타

	포스팅 제목

역사 박사

역사에 대한 모든 정보를
나누는 곳입니다.

+ 이웃 추가

카테고리

  🖉 역사 정보

  🖉 역사 리뷰

  🖉 역사 도서

  🖉 독서 한 줄

  🖉 기타

포스팅 내용

01. 다음 고려의 생활 모습을 소개한 글 중 옳지 <u>않은</u> 것은?

고려는 양인과 천인으로 나뉜 신분 사회였다. ① 남녀 구분 없이 자신의 가계를 중심으로 제사를 지내고 부모를 모셨다. 이혼과 재혼도 자유로웠으며 ② 재산 상속과 호주 등록에 있어서도 남녀의 차별이 거의 없었다. ③ 외할아버지, 외할머니와 같은 호칭도 고려 시대 때 만들어져 지금까지 이어져 오고 있다. 고려의 백성들은 대부분 불교를 믿었지만, 나라를 통치하는 이념은 유학이었다. 유학을 교육하기 위한 ④ 국가 기관으로는 국자감이 있었고 사학 12도 등 명문 사학도 있었다. 도교도 여전히 유행하여 ⑤ 왕실에서 직접 도교 행사를 치르기도 했다.

02. 다음 문화재에 대한 설명으로 옳은 것은?

① 우리나라 목조 건축물 중 가장 오래되었다.
② 고려 시대에 지어져 고려 사찰의 독특한 양식을 잘 보여 준다.
③ 고려 후기 원으로부터 전래된 양식으로 지어졌다.
④ 부처님의 힘으로 몽골을 물리치고자 만들었던 대장경이 보관된 곳이다.
⑤ 주심포 양식과 배흘림기둥으로 균형 잡힌 아름다움을 보여 준다.

03. 아래 문화재와 해당 시기에 대한 설명으로 적절하지 <u>않은</u> 것은?

| (가) | (나) | (다) |

① (가) - 고려를 건국했던 세력의 자유롭고 호탕한 기운이 불상에 반영되었다.

② (가) - 자신의 세력을 과시하고 싶었던 호족들이 주로 큰 불상을 지었다.

③ (나) - (가)의 중심세력이 중앙 귀족이 되면서 불상이 근엄하고 형식적으로 바뀌었다.

④ (나) - 권문세족이 집권하면서 형식과 교리를 중요하게 여기기 시작했다.

⑤ (다) - 원의 라마교가 유입되며 화려한 치장을 한 불상이 만들어졌다.

04. 다음 고려 역사서에 대한 설명 중 옳은 것은?

역사서	소개
사략	(가)
삼국사기	(나)
삼국유사	(다)
제왕운기	(라)
동국이상국집	(마)

① (가) - 현존하는 가장 오래된 역사서이다.

② (나) - 고려는 신라를 계승했다는 입장으로 불교적 합리주의에 따라 쓰였다.

③ (다) - 처음으로 단군 신화가 실렸다.

④ (라) - 이승휴가 지었으며 주몽의 일대기를 기록했다.

⑤ (마) - 단군조선을 우리나라 최초의 국가로 기록했다.

05. 다음과 같은 운동을 전개한 인물에 대한 설명으로 옳은 것은?

무신 정권기 불교의 세속화에 반대하며 승려 본연의 자세로 돌아가자고 주장했다.

① 깨달음은 한 번에 얻는 것이라는 돈오돈수를 주장했다.

② 선종을 중심으로 교종을 통합하려 했다.

③ 교종과 선종을 합치기 위해 해동 천태종을 창시했다.

④ 불경 낭송으로 극락왕생하자는 결사 운동을 벌였다.

⑤ 유교와 불교를 통합하려는 유불일치를 주장했다.

06. 아래 문화재에 대한 설명 중 옳지 않은 것은?

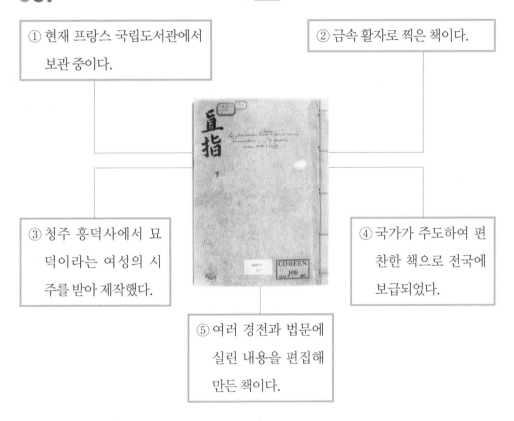

① 현재 프랑스 국립도서관에서 보관 중이다.

② 금속 활자로 찍은 책이다.

③ 청주 흥덕사에서 묘덕이라는 여성의 시주를 받아 제작했다.

④ 국가가 주도하여 편찬한 책으로 전국에 보급되었다.

⑤ 여러 경전과 법문에 실린 내용을 편집해 만든 책이다.

정답 및 해설

Chapter 01

책을 읽기 전에

* [예시 답] 생략

[해설] '책 읽기에 앞서 제시된 질문을 통해 해당 단원에서 알아야 할 중심 내용을 예측해 본다.

책을 읽으며

1. [예시 답] 생략

[해설] 소제목 단위로 읽으며 중요하다고 생각 하는 내용에 밑줄을 쳐 본다. 읽은 후 문제로 나올 만한 내용을 찾는다는 느낌으로 중요한 내용을 생각해 본다.

2. [해설] 스스로 읽으며 밑줄 친 내용과 일치하 는지, 어떤 내용이 빈칸으로 제시되었는지 생 각하며 읽는다.

🅑 매머드 화석이 한반도에서 발견된 까닭은?
 : 만주와 한반도의 구석기 시대

1) 금굴, 70만
2) 막집, 이동
3) 뗀석기
4) 중국, 일본
5) 동굴, 홍수아이
6) 불
7) 주먹도끼

8) 사냥

🅑 탄화된 좁쌀은 무엇을 의미할까?: 만주와 한 반도의 신석기 시대

1) 1만
2) 간석기
3) 농경, 가축
4) 빗살무늬
5) 움집
6) 가락바퀴
7) 잡곡

🅑 거대한 고인돌을 왜 만들었을까?: 만주와 한 반도의 청동기 시대

1) 청동기
2) 구리, 주석, 지배
3) 비파형, 중국
4) 반달 돌칼
5) 쌀, 벼농사
6) 증가, 민무늬
7) 직사각형
8) 전쟁, 부계
9) 계급
10) 군장, 제정일치
11) 고인돌, 탁자식
12) 반구대, 바위

🅑 고조선은 기원전 2333년에 건국되었을까?: 고조선의 성립

1) 청동기, 고조선
2) 비파형, 탁자식
3) 세형, 한반도
4) 기원전 2333, 삼국유사
5) 단군왕검, 평양성

6) 홍익인간, 농업, 선민

❸ 위만은 어느 나라 사람이었을까?: 고조선의
   성장과 멸망
  1) 철기, 왕
  2) 위만, 준왕
  3) 중계 무역
  4) 8, 3
  5) 생명, 농업, 계급
  6) 한, 왕검성

3. 구석기-동굴, 수렵과 채집, 이동 생활/신석
   기-간석기, 농경과 목축, 정착 생활/청동기-
   청동 도구, 제정일치 사회, 고인돌, 전쟁/고조
   선-단군왕검, 8조법, 비파형 동검
   [해설] 시기별로 모든 내용을 기억하고 정리하
   기보다 중요한 몇 가지라도 떠올리고 기억해
   본다.

한눈에 보기

1. ㉠ 70만, ㉡ 1만, ㉢ 2000, ㉣ 가락바퀴, ㉤ 농
   경, ㉥ 주먹도끼, ㉦구리 또는 주석, ◎주석 또
   는 구리, ㉧ 반달 돌칼
   [해설] 구석기 시대부터 신석기 시대, 청동기
   시대까지 한반도의 선사 시대의 시작 시기, 의
   식주 모습, 사용한 도구에 대해 간단히 정리하
   며 기억한다.

2. ㉠ 사냥, ㉡ 신앙, ㉢ 부계, ㉣ 고인돌
   [해설] 생략

3. ㉠ 동굴, ㉡ 주먹도끼, ㉢ 잡곡, ㉣ 반구대
   [해설] 한반도의 선사 시대를 보여 주는 유적
   지와 유물에 대한 내용을 완성하고, 각 유적지

의 특징을 알아둔다.

4. ㉠ 기원전 2333, ㉡ 홍익인간, ㉢ 비파형, ㉣
   탁자, ㉤ 중계 무역, ㉥ 8조법
   [해설] 고조선 역사를 분야별로 설명한 내용이
   다. 빈칸을 채운 후 각 분야별로 읽어보며 고
   조선의 역사를 정리한다.

역사 논술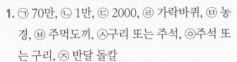

1. [정답] 문자가 있기 이전의 우리 역사를 연구
   하려면 남아 있는 유물이나 유적을 통해 연구
   하는 방법밖에 없다. 비록 나라도 만들어지기
   전이고 구체적으로 어떤 사건들이 있었는지
   를 알기는 어려우나, 유물과 유적을 통해 그
   당시를 짐작해 볼 수 있다. 아주 오래전 일이
   지만 우리의 뿌리를 알고, 우리 조상들이 어디
   에서부터 시작되었는지를 아는 것은, 우리 현
   재 모습과 우리의 정체성을 아는 데 중요한 자
   료가 되기 때문에 중요하다.
   [해설] 말 주머니를 참고하여 기록이 남아 있
   지 않은 역사에 대한 연구를 어떻게 할지 생각
   해 보고, 그러한 역사 연구가 지니는 가치에
   대해 생각해 본다.

2. 한반도/만주에서는 주로 비파형 동검을 만들
   었고, 손잡이를 따로 만들어서 칼자루에 끼우
   는 형태였다. 그러나 중국의 것은 몸체와 손잡
   이가 붙어 있는 일체형이었다. 이는 두 지역의
   문화가 서로 다른 계통에 속해 있었다는 것으
   로 고조선은 중국과 다른 독자적 문화를 가지
   고 있었다는 것을 알 수 있다.

3. (1) [정답] 생명을 중요시했다.

(2) [정답] 농경 사회였다.

(3) [정답] ① 계급 사회였다.

② 화폐를 사용했다.

01. [정답] ⑤

02. [정답] ②

[해설] 빗살무늬 토기가 발견된 신석기 시대의 모습을 찾는 활동이다. ②의 반달 돌칼은 청동기 시대의 유물이다.

03. [정답] ⑤

[해설] 청동기 사회에 해당하는 설명을 고르는 활동이다. ① 이 시기는 모계 사회에서 부계 사회로 바뀌는 시기였다. ② 청동이 귀해 농기구는 여전히 돌로 만든 것을 사용했다. ③ 농경 생활을 시작해 주로 농사지은 것으로 먹을 것을 해결했다. ④ 세형 동검과 잔무늬 거울은 고조선 후기 유물로 (가)에 해당하지 않는다. ⑤ 농경 생활로 잉여 생산물이 생겨 다양한 직업이 나타났다.

04. [정답] ③

[해설] 중국 춘추 시대 때에는 춘추 5패, 전국 7웅 중 하나였던 '제'나라와 교역했다는 역사 기록이 있다.

Chapter 02

* [예시 답] 선사 시대는 나라가 없고 고조선도

한 나라뿐이었는데 이제 여러 나라 이름이 등장한다. 나라의 형태를 갖춘 나라들이 생겨나는 것 같다.

[해설] 책 읽기에 앞서 제시된 질문을 통해 앞 단원 내용과 비교하며 이번 단원에서 읽을 내용을 생각해 본다.

1. [예시 답] 생략

[해설] 소제목 단위로 읽으며 중요하다고 생각하는 내용에 밑줄을 쳐 본다. 읽은 후 문제로 나올 만한 내용을 찾는다는 느낌으로 중요한 내용을 생각해 본다.

2. [해설] 스스로 읽으며 밑줄 친 내용과 일치하는지, 어떤 내용이 빈칸으로 제시되었는지 생각하며 읽는다.

🔁 항아리 두 개로 만든 무덤을 뭐라 부를까?: 만주와 한반도의 철기 문화

1) 철기

2) 세형

3) 화폐, 중국

4) 한자

5) 널, 독

🔁 제천과 동맹은 무슨 행사일까?: 만주 지역 부여와 고구려의 성장

〈부여〉

1) 밭, 목축, 연맹

2) 군장, 사출도

3) 1책 12법

4) 순장

5) 영고, 고구려

〈고구려〉

6) 부여, 한

7) 정복, 옥저, 동예

8) 동맹, 서옥제

 소도에 죄인이 들어가면 못 잡는 이유는?: 한반도의 옥저, 동예, 삼한의 발전

1) 옥저

2) 민며느리, 세골장

3) 동예

4) 족외혼, 책화

5) 삼한, 군장

6) 천군, 소도

7) 벼

8) 철, 일본

3. 부여-영고, 사출도/고구려-정복 전쟁, 동맹, 서옥제/옥저-함경도 동해안, 민며느리제/동예-과하마, 단궁, 책화/삼한-벼농사, 군장, 천군, 소도

[해설] 읽은 부분에서 각 나라별로 중요한 내용은 무엇일지 스스로 생각하고 메모하며 기억해 본다.

한눈에 보기

1. ㉠ 제사, ㉡ 단단, ㉢ 정복 전쟁

[해설] 청동기의 특징과 비교해 철기의 도구로써의 특징과 사람들이 철기를 사용으로 인해 사회에 어떠한 변화가 일어났는지 알아본다.

2. ㉠ 중국, ㉡ 한자

[해설] 각 유적에서 발굴된 유물을 통해 추론할 수 있는 당시 생활 모습을 알아본다.

3. ㉠ 연맹, ㉡ 연맹, ㉢ 사출도, ㉣ 옥저, ㉤ 동예, ㉥ 서옥제, ㉦ 영고, ㉧ 동맹, ㉨ 고구려

[해설] 고조선 이후 만주 지역에서 발생해 수백 년 역사를 이어 간 부여와 고구려를 분야별로 비교하며 정리한다.

4. ㉠ 옥저, ㉡ 동예, ㉢ 삼한, ㉣ 민며느리제, ㉤ 족외혼, ㉥ 천군, ㉦ 벼농사, ㉧ 고구려, ㉨ 군장

[해설] 고조선 이후 한반도 내부에서 철기 문화를 누리며 성장한 나라들에 대해 분야별로 비교하며 정리한다.

역사 논술

1. [정답] 고구려를 세운 주몽이 부여를 탈출해 세운 것을 보면, 고구려의 문화나 풍습은 부여의 것과 비슷할 것이다. 하지만 주몽이 대소 왕자의 생명 위협에 도망쳐 나왔으므로 정치적으로는 적대적 관계였을 것으로 짐작할 수 있다.

[해설] 고구려 건국 신화인 주몽 신화를 읽고 부여와 고구려가 정치·문화적으로 어떤 관계였을지 짐작해 보는 활동이다. 이후 고구려는 백제 탄생과도 밀접하며 백제가 부여의 후손임을 자처하는 것을 통해 우리 역사의 맥이 어떻게 이어지는지 생각해 보는 기회를 얻는다.

2. [정답] 부여, 고구려, 삼한 등 당시의 왕국들은 여러 부족이 연합해 만들어진 것이다. 부족 중에서 가장 강한 부족의 군장이 왕이 되었지만, 왕은 다른 부족의 일에 간섭할 수 없었고, 나랏일을 결정할 때도 부족장들의 동의를 얻어야 했기 때문에 왕권이 약했을 것이다.

01. [정답] ⑤

[해설] 철기 시대였지만 여전히 무기와 각종 제사 의식에 쓰이는 도구는 청동으로 만들었다.

02. [정답] (가)-부여, (나)-고구려, (다)-옥저, (라)-동예, (마)-삼한

03. [정답] ②

[해설] ① 한나라와의 전쟁에 패해 멸망한 나라는 고조선이므로 오답 ③ 흰옷을 즐겨 입은 것은 부여 ④ 신지, 읍차라 불리는 군장이 다스린 곳은 삼한 ⑤ 삼한은 제정 분리 사회였다.

04. [정답] ① (나), ② (라), ③ 족외혼, ④ (마), ⑤ 소도

Chapter 03

책을 읽기 전에

* [예시 답] 여러 작은 나라들이 있던 시기를 지나 고구려, 백제, 신라 세 나라가 자리를 잡고 발전하는 것 내용인 것 같다.

[해설] 본격적으로 책 읽기에 앞서 제시되어 있는 질문을 통해 앞에서 읽은 내용과 역사적으로 어떤 변화가 있는지 생각해 본다. 정확한 사실을 알아야 하기보다 역사가 흘러가는 속에 달라지는 점이 무엇일지 스스로 생각해 보는 활동이다.

책을 읽으며

1. [예시 답] 생략

[해설] 본문을 읽으며 중요하다고 생각하는 내용에 밑줄 치며 읽는다. 문장 전체로 밑줄을 긋기보다 단어나 어구 등 최소한으로 표시한다.

2. [해설] 스스로 읽으며 밑줄 친 내용과 일치하는지, 어떤 내용이 질문으로 제시되었는지 생각하며 읽는다.

📖 고구려가 국내성으로 수도를 옮긴 까닭은?: 고구려의 체제 정비(1~4세기)

1) 고주몽, 졸본, 고구려

2) 국내성, 정복

3) 중앙 집권

4) 옥저, 요동

5) 부자 상속, 왕권

6) 독자적, 방위

7) 진대법

8) 서안평, 대동강

9) 전연, 백제

10) 소수림왕, 전진, 불교, 태학, 율령

📖 백제 고분과 고구려 고분은 왜 비슷할까?: 백제의 체제 정비와 확장(3~4세기)

1) 유리, 위례성

2) 돌무지, 장군총

3) 마한

4) 한강, 중국

5) 고이왕

6) 16관등, 목지국

📖 신라에서는 왕을 어떻게 불렀을까?: 신라의 체제 정비

1) 신라

2) 진한, 박혁거세

3) 박, 석, 김, 이사금

4) 마립간, 왕권

5) 김

6) 백제, 왜, 광개토 대왕

🅑 신라에서는 왕을 어떻게 불렀을까?: 신라의
　체제 정비

1) 제가 회의, 정사암 회의, 화백 회의

2) 대대로, 좌평, 이벌찬

3) 5부, 5방, 22담로, 6부, 5주

4) 골품제, 성골, 진골, 6~4두품

5) 신분

🅑 가야가 있다면 사국 시대가 맞는 게 아닐까?:
　가야 연맹의 성립과 부여의 멸망

1) 김수로

2) 연맹

3) 변한, 철

4) 부족

5) 금관, 덩이쇠, 일본, 철

6) 김해, 신라

7) 고구려, 대가야

🅑 근초고왕은 정말 중국 땅에 진출했을까?: 백
　제, 먼저 치고 나가다

1) 근초고왕

2) 부자 상속, 지방관

3) 마한

4) 평양성

5) 요서, 왜, 칠지도

6) 침류왕, 불교

🅑 중국 후연이 멸망한 까닭은?: 광개토 대왕의

영토 확장(5세기)

1) 고구려, 광개토 대왕

2) 백제, 신라

3) 금관가야

4) 동부여

5) 후연, 요동성

🅑 장수왕의 묘호가 장수왕인 이유는?: 고구려
　장수왕의 남진 정책(5세기)

1) 장수왕, 남진

2) 평양성, 나제

3) 한성, 웅진

4) 중원 고구려비, 죽령

🅑 백제가 남부여로 이름을 바꾼 까닭은?: 백제
　의 재기 노력과 제2의 중흥(5~6세기)

1) 나제 동맹, 한강 이북, 한성

2) 웅진

3) 동성왕, 혼인

4) 무령왕, 22

5) 남조

6) 성왕, 사비, 남부여

7) 22부

8) 한강, 진흥왕

9) 관산성, 신라

🅑 울릉도와 독도를 우리 영토로 만든 왕은 누구
　일까?: 신라의 체제 정비 및 팽창(6세기)

1) 중국, 왕, 신라

2) 우산국

3) 법흥왕

4) 상대등

5) 금관가야, 불교

6) 진흥왕

7) 중국

8) 대가야

9) 함경도, 진흥왕 순수비

10) 화랑도

⊞ 가야와 부여가 성장하지 못하고 멸망한 까닭은?: 후기 가야의 성장과 멸망

1) 금관가야

2) 대가야

3) 법흥왕, 진흥왕

4) 김수로, 진골, 김유신

5) 우륵, 가야금

6) 연맹

3. [예시 답] 삼국은 중앙 집권 체제를 갖추는 과정에서 정복 전쟁으로 영토를 확장하였고, 왕권 강화에 힘썼다. 또한 불교를 받아들여 왕실의 권위를 높이고 백성들의 정신적 통합을 꾀하였다.

한눈에 보기

⊞ 고구려, 백제, 신라의 건국 과정

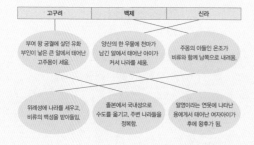

[해설] 고구려, 백제, 신라의 건국 신화 또는 건국에 얽힌 이야기를 정리하며 기억한다.

⊞ 세 나라의 체제 정비

1. ㉠ 고국천왕, ㉡ 소수림왕, ㉢ 고이왕, ㉣ 내물왕
   [해설] 생략

2. ㉠ 고구려, ㉡ 제가, ㉢ 백제, ㉣ 담로, ㉤ 신라, ㉥ 골품제
   [해설] 생략

⊞ 세 나라의 경쟁

1. ㉠ 근초고왕, ㉡ 왕권, ㉢ 마한
   [해설] 생략

2. ㉠ 광개토 대왕, ㉡ 장수왕, ㉢ 나제 동맹, ㉣ 진흥왕, ㉤ 성왕
   [해설] 고구려의 전성기를 만든 광개토 대왕과 장수왕의 업적을 정리하고 그 과정에서 상대국이었던 신라와 백제가 고구려에 맞서 동맹을 이어간 과정과 결렬된 과정까지 알아본다.

3. ㉠ 법흥왕, ㉡ 진흥왕, ㉢ 우산, ㉣ 율령, ㉤ 불교, ㉥ 한강 하류, ㉦ 화랑도
   [해설] 지증왕부터 진흥왕까지 3대에 이르는 신라의 전성기 왕과 각 왕의 업적을 완성하고 스스로 읽으며 정리한다.

⊞ 가야의 건국, 성장, 멸망

1. ㉠ 김수로, ㉡ 금관가야, ㉢ 대가야
   [해설] 생략

역사 논술

1. [정답]

① 특정 씨족이 왕위를 이어받는 제도를 마련

② 부족장이나 군장을 중앙 관리나 중앙 귀족

으로 흡수

③ 율령 반포, 관제 정비

④ 불교 수용

⑤ 영토 확장

[해설] 중앙 집권 체제가 만들어지기 위해서는 분산되었던 권력이 왕에게 집중되고, 관제가 정비되며, 백성의 마음을 통합할 수 있는 방법으로써 종교를 적극적으로 수용한다. 이러한 특징을 종합적으로 정리하는 활동이다.

2. [정답] 삼국이 전성기에 공통적으로 차지했던 지역은 한강 유역이다. 대내적으로 한강은 토양이 비옥하고 드넓은 평야가 펼쳐져 있어 경제적 안정을 도모할 수 있다. 또한 대외적으로는 중국으로 직접 진출할 수 있어 선진 문물을 받아들이거나, 상대국이 중국과 연결되지 못하도록 견제할 수 있어 중요성이 높다.

[해설] 고구려, 백제, 신라가 전성 시기에 공통적으로 차지했던 한강 유역이 국내적으로는 어떤 의미가 있고, 국제적으로는 어떤 역할을 하는지 생각해 보는 활동이다.

3. [정답] ㉠정사암 회의, ㉡대대로, ㉢상대등, ㉣5부, ㉤5부, ㉥6부

4. [예시 답 1] 한때는 원수였던 나라가 필요에 의해 동맹국이 되기도 하고, 반대로 다시 적국이 되기도 한다. 개인과 개인이 아닌 국가 대 국가의 관계에서는 이해관계에 따라 처지가 달라질 수 있다고 생각한다. 정치란 때를 놓치면 의미가 퇴색하기 때문에 진흥왕이 나제 동맹을 깬 것은 정치에선 가능한 일이라고 생각한다.

[예시 답 2] 아무리 국가의 이해관계가 때에 따라 달라진다고는 하나, 동맹 관계를 맺은 상태에서 상대에 대한 신뢰를 저버린 행동은 어떤 말로도 정당화될 수 없다고 생각한다. 동맹이 해제된 후라면 몰라도 동맹을 맺은 상태에서 배신 행위를 하는 것은 국제 질서를 어지럽히는 것과도 같다고 생각한다.

[해설] 논술인 만큼 자기 생각을 자유롭게 이야기하도록 지도한다. 역사적 사건을 통해 현재의 우리를 돌아보는 것이 역사 공부의 의의이듯이, 진흥왕의 사례를 통해 우리가 진흥왕과 비슷한 상황에 놓인다면, 혹은 백제와 같은 상황에 놓인다면 어떻게 행동하는 것이 옳을지를 생각하며 답한다면 좀 더 깊이 있는 생각을 할 수 있을 것이다. 자기 생각을 뒷받침하는 근거를 갖추는 것에 유의하도록 한다.

실력 키우기

01. [정답] ㉠ - ㉢ - ㉣ - ㉡ - ㉢

[해설] ㉠ 수도를 졸본에서 국내성으로 옮겼다(2대 유리왕). ㉡ 중국의 전연과 백제의 침입으로 어려움을 겪었다(16대 고국원왕). ㉢ 율령을 반포하고, 태학을 설립해 인재를 양성했다(17대 소수림왕). ㉣ 요동 지방으로 진출해 서안평을 점령했다(15대 미천왕). ㉤ 왕위를 아들에게만 물려주는 부자 상속 제도를 시행했다(9대 고국천왕).

02. [정답] ①

[해설] 지도의 시기는 4세기 말~5세기로 광개토 대왕과 장수왕이 다스리던 고구려 전성기이다. ① 낙랑군과 대방군을 공격해 멸

망시킨 것은 4세기 미천왕 때이다. ② 쑹화
강에서 연해주에 이르는 땅을 차지한 것은
5세기 광개토 대왕 때이다. ③ 장수왕이 남
진 정책을 펴자 백제와 신라는 혼인 동맹을
맺었다. ④ 장수왕은 한강 이남 지역을 차지
하고 중원 고구려비를 세웠다. ⑤ 신라의 김
씨 왕위 세습은 내물왕 때의 일이다.

03. [정답] ③

[해설] (가)는 웅진, (나)는 사비 시대를 나타
낸다. ① 산맥과 강을 끼고 있어 외적으로부
터 방어하기 좋은 지형을 가진 곳은 웅진이
다. ② 신라에서 동맹을 깬 것은 진흥왕 때
로 사비가 수도였을 때이지, 그로 인해 사비
성으로 옮기게 된 것이 아니다. ③ 성왕은
사비로 천도한 후 한때 나라 이름을 '남부
여'로 바꾸었다. ④ 22담로를 설치한 왕은
무령왕으로 웅진이 수도였을 때의 일이다.
⑤ 장수왕에게 한강 이남을 빼앗기면서 웅
진으로 옮겨왔다.

04. [정답] 진흥왕, 단양 적성비, 북한산 순수비,
창녕 순수비, 황초령 순수비, 마운령 순수비

05. [정답] ㉡ 금관가야

06. [정답] ⑤

[해설] 지증왕의 업적을 찾는 활동이다. ㉡
은 법흥왕의 업적이다.

Chapter 04

책을 읽기 전에

---

* [예시 답] 생략

[해설] 본격적으로 책 읽기에 앞서 제시되어
있는 질문을 통해 해당 단원에서 알아야 할 중
심 내용을 예측해 본다.

책을 읽으며

1. [예시 답] 생략

[해설] 본문을 읽으며 중요하다고 생각하는 내
용에 밑줄 치며 읽는다. 문장 전체로 밑줄을 긋
기보다 단어나 어구 등 최소한으로 표시한다.

2. [해설] 스스로 읽으며 밑줄 친 내용과 일치하
는지, 어떤 내용이 질문으로 제시되었는지 생
각하며 읽는다.

㉣ 삼국 시대의 김치와 오늘날의 김치는 뭐가 다
를까?: 삼국 시대의 의식주 문화

1) 신분
2) 귀족
3) 부여, 고구려, 귀족
4) 골품제
5) 쌀
6) 삼베, 흰옷
7) 김치, 소금, 된장, 간장
8) 초가집, 귀틀집
9) 난방, 온돌

㉣ 탑 이름에 '~자'가 붙는 이유는 뭘까?: 삼국
불교 예술의 발전

1) 불교
2) 왕권
3) 소수림왕, 침류왕, 법흥왕
4) 진흥왕, 통일 신라
5) 소수림왕, 전등사

6) 무왕

7) 진흥왕, 경주

8) 선덕 여왕, 황룡사지 9층 목탑, 몽골

9) 미륵사지 석탑, 정림사지 5층 석탑

10) 백제의 미소

11) 고구려, 신라

12) 미륵 신앙

ⓑ 삼국 시대에 왜 역사서를 편찬했을까?: 유학 및 도교의 발달과 삼국 시대의 예술

1) 유교

2) 역사서

3) 태학, 경당

4) 오경, 역

5) 신라, 국학

6) 도교, 불로장생

7) 연개소문

8) 백제 금동 대향로, 산수 무늬 벽돌, 사신도

9) 천문학, 첨성대

10) 금속 가공

11) 고구려, 거문고, 신라, 우륵

ⓑ 고분 연구가 왜 중요할까?: 삼국 고분의 특징 과 변화

1) 고분

2) 돌무지무덤, 장군총, 장수왕

3) 돌무지무덤

4) 굴식 돌방무덤

5) 남조, 벽돌무덤, 무령왕릉

6) 널무덤, 돌무지 덧널무덤, 천마총

7) 가야

ⓑ 씨름도에 서역 사람이 등장하는 까닭은?: 삼 국의 해외 교류와 일본 진출

1) 중국, 북쪽, 거문고

2) 해상, 남쪽, 당, 한강 유역, 당

3) 고구려, 서역, 수박도

4) 신라

5) 유라시아

6) 일본

7) 왕인, 천자문, 노리사치계

8) 고구려, 한강 유역

9) 아스카, 고구려, 담징

10) 일본, 수산리

11) 신라

12) 토기, 제철

3. [예시 답]

고구려- 금동 연가 7연명 여래 입상

백제- 익산 미륵사지 석탑, 부여 정림사지 5 층 석탑, 서산 용현리 마애 여래 삼존상

신라- 경주 분황사 석탑, 경주 배동 석조 여래 삼존 입상 등

한눈에 보기

ⓑ 삼국의 의식주 문화

1. ㉠ 귀족, ㉡ 천민, ㉢ 골품제

[해설] 생략

2. ㉠ 신분, ㉡ 비단옷, ㉢ 흰옷, ㉣ 소금, ㉤ 간장, ㉥ 보리

[해설] ㉥의 현미는 벼를 도정 정도에 따라 백 미(흰쌀)와 구분해 부르는 이름이므로 '쌀'에 해당하고, 당시 평민들은 쌀을 구경하기도 어 려웠다.

ⓑ 삼국의 불교, 불교 예술

1. ㉠ 백성, ㉡ 왕권, ㉢ 고구려, ㉣ 백제, ㉤ 법흥왕, ㉥ 목탑, ㉦ 금동 미륵보살
   [해설] 생략

▷ 삼국과 도교

2. ㉠ 신선, ㉡ 대향로, ㉢ 산수 무늬
   [해설] 생략

▷ 삼국과 학문

1. ㉠ 고구려, ㉡ 백제, ㉢ 신라
   [해설] 생략

▷ 네 나라의 고분 변천사

1. ㉠ 돌무지무덤, ㉡ 굴식 돌방무덤, ㉢ 널무덤, ㉣ 돌무지 덧널무덤
   [해설] 생략

2. ㉠ 돌무지무덤, ㉡ 벽돌 무덤, ㉢ 돌무지 덧널무덤
   [해설] 생략

▷ 삼국 및 가야의 대외 교류

1. ㉠ 북, ㉡ 남, ㉢ 한강 유역, ㉣ 고구려, ㉤ 백제, ㉥ 고구려, ㉦ 가야
   [해설] 생략

역사 논술

1. [예시 답] 역사서는 과거에서부터 역사서를 편찬하는 시점까지의 굵직한 사건들과 위대한 인물의 업적을 기록한 것이다. 역사서는 주로 왕의 명령에 의해 편찬되었을 것이고, 그렇게 편찬된 역사서는 단순한 사건의 나열을 넘어 현 왕실의 정통성과 위엄, 그리고 지배세력으로서의 당위성을 강조하는 내용으로 만들어졌을 것이다. 이를 통해 백성들의 자국에 대한 자부심과 충성심이 커지고 이것은 다시 현재의 지배구조를 공고히 하는 역할을 담당했을 것이다.
   [해설] 생략

2. [정답] 백제의 무령왕릉은 벽돌무덤 양식으로 만들어진 것으로 많은 유물이 발굴되었다. 벽돌무덤 자체가 백제에서만 볼 수 있는 고분으로 중국 남조의 영향을 받은 형태이다. 벽돌로 쌓은 방에 중국의 도자기가 들어 있고 널은 왜의 금송을 사용해 만들었다는 것을 통해 백제는 중국, 일본 등 동아시아와 활발한 교류했다는 것을 알 수 있다.
   [해설] 생략

실력 키우기

01. [정답] 1) ㉥-미륵사지 석탑
    2) ㉣-금동 연가 7년명 여래 입상
    3) ㉢-마애 여래 삼존상
    4) ㉡-분황사 모전 석탑
    5) ㉠-황룡사 9층 목탑
    6) ㉤-금동 미륵보살 반가 사유상
    [해설] 생략

02. [정답] ③
    [해설] ㉠은 돌무지무덤, ㉡은 굴식 돌방무덤, ㉢은 돌무지 덧널무덤이다. ① ㉠→㉡, ㉢→㉡으로 나타나며 ㉡은 가장 나중에 등장한 고분 양식이다. ② ㉠은 만주 지역에 많

이 분포하는 양식이다. ④ ㉠은 고구려뿐만
아니라 백제 초기 한성 시기에도 발견된다.
⑤ 백제 무령왕릉은 ㉡ 양식으로 지어졌다.

03. [정답] ②

[해설] 사진은 백제 금동 대향로이며 ㉠에
들어갈 말은 도교이다. ② 도교는 귀족들을
중심으로 확산했다.

04. [정답] ㄴ, ㄹ, ㅁ, ㅂ

[해설] ㄱ. 아직기는 백제 사람으로 일본에
천자문, 논어를 가르쳤다. ㄷ. 가야 유적지
에서 발견된 청동 솥은 유라시아 지역에서
사용하던 것으로 가야가 서역과 교류했다
는 것을 알 수 있다.

Chapter 05

책을 읽기 전에

* [예시 답] 생략

[해설] 본격적으로 책 읽기에 앞서 제시되어
있는 질문을 통해 해당 단원에서 알아야 할 중
심 내용을 예측해 본다.

책을 읽으며

1. [예시 답] 생략

[해설] 본문을 읽으며 중요하다고 생각하는 내
용에 밑줄 치며 읽는다. 문장 전체로 밑줄을 긋
기보다 단어나 어구 등 최소한으로 표시한다.

2. [해설] 스스로 읽으며 밑줄 친 내용과 일치하
는지, 어떤 내용이 질문으로 제시되었는지 생

각하며 읽는다.

Ⓑ 중국의 수가 멸망한 이유는?: 수의 침략과 살
    수 대첩
    1) 신라, 백제, 고구려, 왜
    2) 수, 고구려, 돌궐
    3) 남북 세력, 동서
    4) 요서, 문제
    5) 양제, 평양성
    6) 을지문덕, 살수 대첩

Ⓑ 안시성 전투 승리의 의의는 무엇일까?: 당의
    침략과 안시성 전투
    1) 당, 고구려
    2) 천리장성
    3) 연개소문, 고구려
    4) 안시성
    5) 청야수성, 성곽

Ⓑ 백제 멸망 후 왜선이 금강에 나타난 까닭은?:
    백제의 멸망과 부흥 운동
    1) 신라, 의자왕, 당항성
    2) 당, 나당 동맹
    3) 여제 동맹
    4) 나당 연합군, 황산벌
    5) 사비성, 웅진 도독부
    6) 복신, 도침, 흑치상지, 신라

Ⓑ 당이 고구려를 쉽게 정복하지 못한 까닭은?:
    고구려의 멸망과 부흥 운동
    1) 당, 고구려, 연개소문
    2) 나당 연합군, 평양성, 안동 도호부
    3) 검모잠, 신라
    4) 한반도 전체, 계림 도독부

Ⓑ 고구려 유민이 익산에 세운 나라 이름은?: 삼

국 통일의 의의와 한계

1) 문무왕

2) 매소성, 기벌포, 삼국 통일

3) 대동강, 원산만

⊞ 발해가 독자 연호를 쓴 까닭은?: 발해의 건국

1) 고구려, 당

2) 거란족, 대조영

3) 발해, 통일 신라, 남북국 시대

4) 요동, 연해주, 해동성국

5) 고구려, 연호

3. [예시 답] 나당 동맹, 여제 동맹

[해설] 나당 동맹 – 백제의 공격이 거세지자 신라는 왜와 고구려에 도움을 요청했지만 거절당하고 당으로 건너가 나당 동맹을 체결했다. 여제 동맹 – 신라와 당이 동맹을 맺자 고구려와 백제도 동맹을 맺었다.

한눈에 보기

⊞ 삼국 통일 과정을 한눈에

1. ㉠ 한강 유역, ㉡ 고구려, ㉢ 남북, ㉣ 동서, ㉤ 살수, ㉥ 안시성, ㉦ 백제, ㉧ 당, ㉨ 황산벌, ㉩ 사비성, ㉪ 연개소문, ㉫ 평양성

[해설] 시기별로 흐름을 살피며 삼국 통일까지의 과정을 정리해 본다.

2.

1	4	2
3	6	5

[해설] 백제와 고구려 멸망 이후 한반도를 차지하려는 당을 몰아내기까지의 과정을 순서대

로 정리한다.

⊞ 신라의 삼국 통일, 한계와 의의

1. ㉠ 외세, ㉡ 대동강~원산만, ㉢ 민족 통일, ㉣ 융합

[해설] 신라의 삼국 통일에 대해 상반된 주장과 근거를 살펴보는 활동이다.

⊞ 고구려 유민들의 발해 건국, 남북국 시대의 시작

2. ㉠ 말갈인, ㉡ 대조영, ㉢ 동모산, ㉣ 해동성국

[해설] 생략

역사 논술

1. [예시답] 고구려는 한반도 북쪽에 위치하며 때로는 중국과 교류하며 발달한 문화를 받아들이기도 했지만 중국과 끊임없이 경쟁하며 서로를 견제해 왔다. 만약 수·당의 침략에 고구려가 무너졌다면 그다음 순서는 백제와 신라가 되었을 것은 불 보듯 뻔하다. 이를 통해 고구려는 삼국이 자체의 문화를 존속시키고 계속해서 번성해 나갈 수 있는 버팀목이자 방패로서의 역할을 해 주었다고 생각한다.

2. 1) [정답] 발해가 중국에 복속되었던 나라였다면 독자적인 연호를 쓸 수 없었을 것이다. 그러나 무왕 때에는 인안, 문왕 때에는 대흥이라는 독자 연호를 썼던 것을 보면 발해는 당과 대등한 위치에 있었던 국가이다.

2) [정답] 발해의 민족 구성이 고구려인과 말갈족이었다. 전체 구성 중 말갈인이 더 많지만, 지배층은 대부분 고구려인이었다. 즉,

발해는 고구려인이 주축이 되어 발해를 건
국했기 때문에 우리의 역사다.

실력 키우기

01. [정답] ②

[해설] ① 발해가 등장한 것은 7세기의 일이
고, 나당 연합군은 백제와 고구려를 견제하
기 위해 결성한 것이었다. ③ 고구려는 백
제, 돌궐, 왜와 연합하여 신라와 수에 맞섰
다. ④ 백제는 고구려, 왜와 함께 남북 세력
을 결성했다. ⑤ 중국에서는 수가 남북조 시
대를 끝내고 중국을 통일을 이루었다.

02. [정답] ⑤

[해설] 지도에 표시된 청천강은 '살수'대첩
이 있었던 곳이다. ⑤ 연개소문이 천리장성
을 쌓은 것은 당의 침략에 대비하기 위한 것
으로 살수대첩보다 훨씬 뒤의 일이다.

03. [정답] ②

[해설] ① 김춘추가 당과 동맹을 체결한 것
과 ④ 소정방의 군대가 기벌포에 도착한 것
은 황산벌 전투 이전의 일이다. ③, ⑤는 백
제 부흥 운동 이후의 일이다.

04. [정답] ㉠ 대조영, ㉡ 동모산, ㉢ 해동성국

05. [정답] ①

[해설] ① 발해 건국 세력의 대다수는 말갈
인이었다.

Chapter 06

책을 읽기 전에

* [예시 답] 생략

[해설] 6장을 구성하는 부분별 제목을 훑어보
며 중요하다고 생각하는 단어나 어구에 표시
하며 어떤 내용일지 생각해 본다.

책을 읽으며

1. [예시 답] 생략

[해설] 본문을 읽으며 중요하다고 생각하는 내
용에 밑줄 치며 읽는다. 문장 전체로 밑줄을 긋
기보다 단어나 어구 등 최소한으로 표시한다.

2. [해설] 스스로 읽으며 밑줄 친 내용과 일치하
는지, 어떤 내용이 질문으로 제시되었는지 생
각하며 읽는다.

 화백 회의가 약해진 까닭은?: 통일 신라의 왕
　권 강화와 체제 정비

　1) 무열왕, 문무왕

　2) 신문왕, 귀족, 중앙 집권

　3) 집사부, 중시

　4) 귀족, 화백 회의, 상대등, 왕

　5) 9주, 도독, 태수, 촌주

　6) 금성, 상수리 제도

　7) 5소경

　8) 9서당, 10정

　9) 녹읍, 관료전, 정전

　10) 국학, 6두품

 발해가 당과의 대결을 끝낸 이유는?: 발해의
　정치 체제 정비 및 성장

1) 무왕, 북만주, 당

2) 인안, 당

3) 3성 6부, 주자감

4) 문왕, 상경 용천부

5) 10위

6) 선왕, 요동, 5경 15부 62주

7) 해동성국

🅑 왕 한 명당 통치 기간이 평균 7년 6개월: 귀족
들의 권력 투쟁과 농민 봉기

1) 박혁거세, 골품제도, 성골

2) 왕권, 진골

3) 왕권

4) 불국사, 녹읍

5) 시중, 상대등, 진골

6) 독서삼품과

7) 김헌창

8) 최치원, 시무 10조

9) 녹읍

10) 원종과 애노의 난

🅑 어떤 사람이 호족이 됐을까?: 호족의 등장과
선종의 유행

1) 농민 봉기, 호족

2) 성주, 장군

3) 교종, 경전, 교리, 선종, 수양, 호족

4) 9산 선문

5) 풍수지리설, 도선

6) 미륵 신앙

🅑 궁예는 왜 폭군이 되었을까?: 후삼국의 성립

1) 견훤, 궁예

2) 전라도, 완산주, 후백제

3) 6두품, 백제

4) 송악, 후고구려

5) 철원, 왕건

6) 고구려, 고려

🅑 발해의 정신은 완전히 사라졌을까?: 발해의
멸망

1) 거란

2) 만주, 고려

3. [예시 답]

- 남북국 시대 한반도를 차지한 독립된 국가

- 불교 예술문화의 발달

- 여러 민족으로 구성

- 당의 문화 수용

한눈에 보기

🅑 남북국의 흥망성쇠

1. ㉠ 문무왕, ㉡ 관리, ㉢ 신문왕, ㉣ 9주 5소경,
㉤ 녹읍, ㉥ 국학, ㉦ 귀족, ㉧ 무왕, ㉨ 연호,
㉩ 문왕, ㉪ 3성 6부, ㉫ 주자감, ㉬ 선왕
[해설] 신라의 삼국 통일 이후 8세기 후반까지
통일된 새 나라의 기틀을 잡기 위해 노력한 왕
들의 업적을 통해 안정을 이루어 가는 과정과
다시 흔들리기 시작하는 모습까지 살펴보고
건국부터 전성기까지 이어지는 발해 왕들의
업적을 동시대를 비교하며 정리한다.

🅑 신라의 위기와 발해의 멸망

1. ㉠ 김헌창, ㉡ 장보고, ㉢ 진성, ㉣ 시무 10조,
㉤ 녹읍, ㉥ 원종과 애노, ㉦ 호족
[해설] 강화되었던 왕권이 추락하며 혼란스러
운 나라 상황과 자연스레 이어지는 민란과 그

틈을 타고 세력을 키워 이후 고려 역사까지 존
재감을 드러내는 호족들에 대해 알아본다.

2. ㉠ 견훤, ㉡ 궁예, ㉢ 왕건, ㉣ 전라도, ㉤ 황해도
[해설] 무너져 가는 신라와 함께 한반도 남부
를 차지했던 후백제와 후고구려의 건국과 후
삼국 통일 직전까지 상황을 정리한다.

3. ㉠ 당이, ㉡ 야율아보기, ㉢ 15일, ㉣ 고려로
[해설] 순식간에 망해 버린 발해의 마지막 역
사를 알아본다.

역사 논술

1. 중앙 귀족: [예시 답] 이번에는 우리 쪽도 권력을
잡아 봐야지. 우리 귀족들이 힘을 합쳐 왕에게
대항하면 제아무리 왕이라도 어쩔 수 있겠어?
6두품: [예시 답] 애통하다. 당에서 유학까지
하고 왔는데 아무리 능력이 있어도 골품제의
한계를 넘어설 수 없다니…. 이제 6두품에겐
희망이 없는 건가?
일반 백성: [예시 답] 왕족들은 왕권에만 관심
있고, 지방 호족들은 점점 더 많은 세금 내라
고 하고 가뭄에 재해까지 겹치니 더 이상 살
희망이 없네. 차라리 해적이 되어 버릴까?
[해설] 신라 말기, 왕권이 약해진 상황에서 왕
위를 차지하려던 중앙 귀족들의 입장과, 기울
어 가는 신라를 구하기 위해 노력했지만 신분
적 한계 때문에 좌절해야 했던 6두품의 입장
을 각각 짐작해 보는 활동이다. 더불어 권력의
소용돌이 속에서 그 고통을 고스란히 당해야
했던 백성들의 마음도 짐작해 본다.

2. 신라: [예시 답] 문무왕은 백제, 고구려인들이

라도 능력이 뛰어난 자는 관리로 임명했으며,
신문왕 때 중앙군에 신라, 백제, 고구려, 말갈
인들을 고루 뽑아 함께 나라를 지키며 통합을
시도했다.
발해: [예시 답] 지방 행정 조직을 부-주-현으
로 나누고 현보다 작은 촌락에는 촌장을 두었
는데, 촌장은 말갈인으로 임명해 자치할 수 있
도록 했다. 이것은 피지배층인 말갈의 전통과
풍습을 배려해 백성을 통합시키려는 의도라고
볼 수 있다.

실력 키우기

01. [정답] ④
[해설] 9주 5소경을 설치한 신문왕의 업
적이 아닌 것을 찾는 활동이다. ④ 신문왕
은 녹읍을 폐지하고 관료전을 지급했다.
16~60세의 농민에게 정전을 지급한 것은
성덕왕 때이다.

02. [정답] ②
[해설] ① 당의 3성 6부제를 받아들인 왕은
발해의 문왕이다. ③ 지방 행정 조직을 정비
하여 태수를 파견한 것은 신라의 제도이다.
④ 국자감은 고려 시대의 국립 교육 기관이
다. ⑤ 발해 무왕은 인안이라는 독자 연호를
사용했다. 대흥은 문왕이 사용한 연호이다.

03. [정답] 최치원
[해설] 생략

04. [정답] ㉠, ㉢, ㉤
[해설] 발해 최대의 전성기이자, '해동성국'
으로 불렸던 때의 왕은 성왕이다. ㉡ 흑수

말갈과 연합해 당을 공격한 것은 무왕의 업적이고, ㉣ 국립 대학 주자감을 설치한 것은 문왕이다.

05. [정답] ③

[해설] 지도에서 ㉠-발해, ㉡-후고구려, ㉢-후백제, ㉣-신라이다. ③에서 설명하는 후백제의 견훤은 후고구려와 경쟁 관계에 있었으며 힘을 합쳐 신라에 대항하지 않았다.

Chapter 07

책을 읽기 전에

* [예시 답] 생략

[해설] 본격적으로 책 읽기에 앞서 제시되어 있는 질문을 통해 해당 단원에서 알아야 할 중심 내용을 예측해 본다.

책을 읽으며

1. [예시 답] 생략

[해설] 본문을 읽으며 중요하다고 생각하는 내용에 밑줄 치며 읽는다. 문장 전체로 밑줄을 긋기보다 단어나 어구 등 최소한으로 표시한다.

2. [해설] 스스로 읽으며 밑줄 친 내용과 일치하는지, 어떤 내용이 질문으로 제시되었는지 생각하며 읽는다.

🅑 아미타 신앙이 무엇일까?: 통일 신라 불교 사상의 발전

1) 삼국, 당

2) 불교

3) 원효, 아미타

4) 일심, 화쟁

5) 의상, 화엄, 왕권

6) 혜초, 왕오천축국전

7) 선종, 풍수지리설

🅑 석굴암에는 어떤 과학이 숨어 있을까?: 불교 건축 및 예술의 발전

1) 의상, 화엄종, 부석사

2) 경주

3) 불국사

4) 불국사 3층 석탑, 무구정광대다라니경

5) 다보탑

6) 석굴암, 부처

7) 범종, 상원사, 성덕대왕 신종, 에밀레종

8) 굴식 돌방무덤

🅑 이두를 왜 만들었을까?: 통일 신라 유학의 발전

1) 유교, 국학, 독서삼품과

2) 6두품, 외교 문서

3) 최치원

4) 설총, 이두

🅑 발해 기와와 불상은 어떤 양식으로 만들었을까?: 발해의 문화

1) 고구려, 말갈

2) 문왕, 당

3) 굴식 돌방무덤, 벽돌무덤

4) 상경, 장안성

5) 불교, 이불병좌상

6) 영광탑

🅑 활발한 교역, 어디까지 뻗어 갔을까?: 통일 신라의 대외 교류

1) 당, 일본, 당항성, 울산항

2) 신라, 이슬람

3) 당, 신라방, 신라소

4) 모직물, 놋그릇

5) 해적, 장보고, 완도, 청해진

ⓑ 발해가 일본과 교류한 원래 목적은?: 발해의 대외 교류

1) 당, 발해관

2) 책, 모피

3) 신라, 일본

3. [예시 답]

통일 신라의 문화재: 불국사, 석굴암, 불국사 3층 석탑, 다보탑, 경주 감은사지 3층 석탑, 구례 화엄사 4사자 3층 석탑 등

발해 문화재: 이불병좌상, 영광탑, 정혜 공주 묘, 정효 공주 묘

ⓑ 통일 신라의 사상과 예술

1. ㉠ 교종, ㉡ 원효, ㉢ 의상, ㉣ 왕오천축국전, ㉤ 선종, ㉥ 풍수지리설

   [해설] 통일 신라의 대표 불교 종파에 대한 내용과 교종의 대표 승려에 대한 내용을 정리한다.

2. ㉠ 부석사, ㉡ 불국사, ㉢ 무구정광대다라니경, ㉣ 다보탑, ㉤ 사자, ㉥ 석굴암, ㉦ 성덕 대왕 신종

   [해설] 통일 신라의 대표 불교 사찰, 탑, 불상, 범종에 대해 알아본다.

3. ㉠ 국학, ㉡ 독서삼품과, ㉢ 최치원, ㉣ 설총

   [해설] 생략

ⓑ 발해의 문화

1. ㉠ 고구려, ㉡ 문, ㉢ 정효 공주, ㉣ 상경, ㉤ 이불병좌상, ㉥ 주자감, ㉦ 당

   [해설] 발해 문화의 특징부터 발해 문화에 영향을 준 나라의 문화와 연결해 살펴본다.

ⓑ 통일 신라와 발해의 대외 교류

1. ㉠ 당항성, ㉡ 금은 세공품, ㉢ 청해진, ㉣ 장보고, ㉤ 놋그릇, ㉥ 서역, ㉦ 원성왕, ㉧ 울산

   [해설] 통일 신라와 당나라, 일본, 기타 지역의 교류에 대한 내용과 함께 당, 신라, 일본을 연결하는 해상 무역 기지를 건설한 장보고와 관련된 내용을 정리한다.

2. ㉠ 발해관, ㉡ 모피, ㉢ 신라, ㉣ 일본, ㉤ 귀금속

   [해설] 발해가 교류한 나라들과 각 나라들로 가는 교역로 이름을 알아본다.

1. [예시 답]

   • 종교: 통일 신라와 발해 모두 불교가 발달했다. 통일 신라에서는 불교의 이상적 세계를 현실 속에서 구현하기 위한 시도로 불국사를 건립했을 정도로 불교의 영향력이 컸다. 발해에서도 이불병좌상, 영광탑 등 불교 문화가 발달했음을 알 수 있다.

   • 통치 이념: 두 나라 모두 유학을 통치 이념으로 삼았다. 통일 신라에서는 국학을, 발해에서는 주자감을 설치해 유학 교육에 힘썼다. 두 나라 모두 유학 실력이 우수한 학자들이 당의 빈공과에 시험에 합격하기도 했다.

   • 당과의 교류: 두 나라 모두 당과의 교류가

활발했다. 통일 신라는 산둥반도에 신라인
들의 집단 거주지인 신라방이, 발해는 발해
관이 설치된 것을 보면 알 수 있다.

2. [예시 답]
 - 저는 원효 대사의 강연을 선택하겠습니다.
백성들의 사랑을 많이 받으셨다는 것은 스님
이 가난한 사람의 마음을 헤아릴 수 있었기 때
문이라고 생각해요. 또한 어려운 불법도 이해
하기 쉬운 말씀으로 해설해 주실 테니 재미있
을 것 같아요.
 - 저는 의상 대사의 강연을 듣겠습니다. 학문
저술이 많지는 않지만, 그분의 제자가 많은 것
을 보면 교육에 힘쓰셨기 때문이 아닌가 생각
해요. 교육을 하기 위해선 본인이 잘 이해하고
있어야 하기 때문에 그분의 강연을 들으면 이
해가 잘 될 것 같아요.

01. [정답] ③
 [해설] 불국사의 다보탑에 대한 설명으로 옳
 은 것을 고르는 활동이다. ① 고구려 양식을
 계승했다는 설명은 옳지 않으며, ②, ④, ⑤
 는 모두 불국사 3층 석탑(석가탑)에 대한 설
 명이다.

02. [정답] 울산항
 [해설] 생략

03. [정답] ②
 [해설] 독서삼품과를 실시한 왕은 원성왕이다.

04. [정답] ③
 [해설] 지도의 교통로 중 ㉠은 일본과 교류하

던 일본도, ㉡은 신라와의 교통로인 신라도
이다. ① 일본과는 처음부터 경제적인 목적
으로 교류를 시작한 것이 아니라 적대 관계
였던 당과 신라를 견제하기 위해 교류했던
것이다. ② 일본과의 교역에서 발해는 주로
모피와 인삼을 수출했고, 귀금속 등을 수입
했다. ③ 선왕 이후 동경 용원부가 설치되면
서 신라와 교역이 활발해지기 시작했다. ④
이 교역로를 통해 이슬람 상인들이 들어온
것은 아니다. ⑤ 발해와의 교역에서 주요 수
출입품이 책과 모피라는 설명은 옳지 않다.

05. [정답] ②
 [해설] ② 신라 사람들의 집단 거주지는 신
 라방이라고 한다. 신라소는 신라방을 관리
 감독하는 곳이다.

Chapter 08

* [예시 답] 생략
 [해설] 8장을 구성하는 부분별 제목과 안내를
 훑어보며 중요하다고 생각하는 단어나 어구에
 표시하며 어떤 내용일지 생각해 본다.

1. [예시 답] 생략
 [해설] 본문을 읽으며 중요하다고 생각하는 내
 용에 밑줄 치며 읽는다. 문장 전체로 밑줄을 긋
 기보다 단어나 어구 등 최소한으로 표시한다.

2. [해설] 스스로 읽으며 밑줄 친 내용과 일치하

는지, 어떤 내용이 질문으로 제시되었는지 생각하며 읽는다.

🅑 차전놀이는 어떻게 시작됐을까?: 고려의 후삼국 통일

1) 호족, 왕건
2) 고려, 송악
3) 신라, 후백제
4) 세금, 포용
5) 후백제, 경주, 고려, 공산
6) 고창, 차전놀이
7) 신검, 금산사, 고려
8) 후삼국

🅑 왕건은 왜 29의 아내를 두었을까?: 태조의 통일 정책 추진

1) 민족, 재통합, 호족
2) 거란, 훈요 10조
3) 북진, 서경, 청천강, 영흥만
4) 불교, 숭불
5) 세금, 흑창
6) 호족, 혼인, 사성
7) 사심관, 기인

🅑 귀족들이 과거 제도를 반대한 까닭은?: 광종의 왕권 강화 정책

1) 왕권, 광종
2) 노비안검법, 양인, 호족
3) 양인
4) 과거제, 음서, 귀족
5) 유교, 왕
6) 문관, 기술관, 승려
7) 무과, 무관
8) 양인
9) 사대부

10) 공복, 서열
11) 중앙 집권, 황제, 황도, 연호

🅑 인품이 좋은 사람에게 토지를 준 이유는?: 토지 제도의 개편과 전시과 시행

1) 귀족, 개경, 문벌 귀족
2) 역분전, 공음전
3) 전시과, 전지, 시지, 수조권
4) 토지, 인품, 현직 관리
5) 건원중보

🅑 불교 국가에서 유교를 장려한 이유는?: 고려 전기의 체제 정비

1) 시무 28조, 유교
2) 신권
3) 당, 송, 2성 6부, 중서문하성, 상서성
4) 중추원, 어사대, 낭사, 삼사
5) 도병마사, 식목도감
6) 12목
7) 5도 양계, 안찰사, 병마사
8) 지방관
9) 도호부, 진
10) 2군 6위, 중방
11) 유교, 국자감
12) 향교
13) 구재학당, 사학 12도

🅑 묘청과 김부식, 누가 옳을까?: 이자겸의 난과 묘청의 난

1) 문벌 귀족
2) 외척, 이자겸
3) 지군국사
4) 인종, 이자겸의 난
5) 왕, 풍수지리설
6) 묘청

7) 서경, 대화궁, 김부식

8) 묘청의 난

9) 개경

🅑 펜이 강할까, 칼이 강할까?: 무신 정변과 무신
　정권 수립

　1) 왕권, 무신, 환관

　2) 무신, 정중부

　3) 무신 정권, 중방

🅑 중서문하성이 약해진 까닭은?: 최씨 정권의
　성립

　1) 최충헌, 최씨 정권

　2) 교정도감

　3) 최우, 삼별초

　4) 정방

　5) 문인, 서방

　6) 몽골

🅑 만적이 봉기한 목적은 무엇일까?: 농민과 천
　민의 봉기

　1) 무신 정권, 토지, 세금

　2) 하극상

　3) 망이, 망소이의 난, 충청도

　4) 김사미, 효심

　5) 개경, 만적

3. [예시 답]

　순서:이자겸의 난 - 묘청의 난 - 무신 정변 -
　만적의 난

　이자겸의 난: 경원 이씨 집안의 권력 독점, 왕
　실과 거듭된 혼인으로 최고 권력자로 등장한
　이자겸을 인종이 제거하려 하자 반란을 일으
　켰다.

　묘청의 난: 이자겸의 난으로 왕실의 권위가 하

락하자, 풍수지리설을 이용해 서경 천도를 주
장했는데, 개경 세력의 반대로 실패하자 난을
일으켰다.

무신 정변: 무신에 대한 차별 대우와 하급 군
인들의 불만으로 정중부, 이의방 등이 정변을
일으켰다.

만적의 난: 최충헌의 사노비 만적이 천민 신분
을 없애고자 하는 목표로 봉기를 계획했으나
사전에 발각되어 실패했다.

한눈에 보기

🅑 왕건과 광종이 만든 고려 초기

1. ㉠ 궁예, ㉡ 후백제, ㉢ 송악, ㉣ 발해, ㉤ 고창,
　㉥ 견훤, ㉦ 신라, ㉧ 북진, ㉨ 팔관회, ㉩ 호족
　[해설] 고려를 건국한 태조의 업적을 시기별로
　정리해 본다.

2. ㉠ 노비안검법, ㉡ 과거제, ㉢ 왕권, ㉣ 중앙
　집권 체제
　[해설] 고려 초기 고려의 기틀을 마련하고 왕
　권을 강화하기 위해 개혁 정책을 펼친 내용을
　정리한다.

🅑 고려의 통치 제도

3. ㉠ 공음전, ㉡ 전시과, ㉢ 경정 전시과, ㉣ 잡
　과, ㉤ 양인, ㉥시무 28조, ㉦ 유교, ㉧ 도병마
　사, ㉨ 삼사, ㉩ 상서성, ㉪ 12목, ㉫ 향, 부곡,
　소 ㉬ 중방, ㉭ 국자감
　[해설] 토지 제도부터 관리 선발 제도, 통치 체
　제, 군사 조직, 교육 기관까지 분야별로 정리

한다.

⑤ 전기 고려의 위기

1. ㉠ 문벌 귀족, ㉡ 인종, ㉢ 척준경, ㉣ 권위, ㉤ 풍수지리설, ㉥ 서경 천도, ㉦ 대위국, ㉧ 김부식
[해설] 이자겸의 난과 묘청의 난을 정리하며 사건별 특징과 두 사건 사이에 관련된 내용도 함께 기억한다.

2. ㉠ 무신, ㉡ 차별, ㉢ 불만, ㉣ 보현원, ㉤ 문신
[해설] 질문과 답을 연결해 무신 정변에 대한 내용을 정리한다.

3. ㉠ 삼별초, ㉡ 정중부, ㉢ 최충헌, ㉣ 교정도감
[해설] 무신 정권 시기 권력을 잡았던 인물들을 순서대로 정리하고 각 인물이 나라를 통치하는 데 활용한 기구 등 관련 내용을 정리한다.

4. ㉠ 무신 정권, ㉡ 천민, ㉢ 실패
[해설] 무신 정권 당시 일어났던 농민과 천민 반란의 원인과 결과, 반란 내용을 정리한다.

역사 논술

1. [정답] 옛 삼국 출신 민족과 발해 민족까지 통합한 실질적인 민족 통일이다. 그리고 각 지방의 호족 세력까지 정치에 참여할 수 있는 기회가 제공되어 한반도의 다양한 문화가 합쳐질 수 있는 토대를 이루었다.

2. 1) [정답] 제4조와 제5조이다. 왕건은 중국에 대해 사대할 필요가 없다고 했고 거란에 대해서는 적대 관계를 드러내고 있다. 또한 수도인 개경보다 북쪽에 있는 서경을 중시하여 1년에 300일 이상 체류하게 한 것은 고구려를 이은 나라라는 점을 상기시켜 북쪽으로 진출할 것을 내비친 것으로 볼 수 있다.

2) [정답] 고려는 불교와 풍수 사상이 뿌리 깊은 나라였을 것이다. 풍수 사상에 따라 사찰의 터를 정하고, 나라에서 주관하는 연등회와 팔관회가 성대하게 치러진 불교의 나라였다.

3. [예시 답] 최승로의 시무 28조는 유교를 근본 통치 이념으로 삼아야 한다는 주장이다. 또한 이전까지 귀족이기만 하면 관리로 나아갈 수 있었던 것에서, 과거 제도 실시로 인해 능력 있는 양인 이상이면 누구나 관리로 등용될 수 있는 길이 열린 것은, 왕의 입장에선 귀족들의 세력을 견제할 수 있는 바탕을 마련한 것이다. 또한 중앙 정치 조직을 2성 6부제로 운영하고, 각 지방 12목에 왕이 임명하는 목사를 파견한 것도 중앙 집권 체제를 마련하는 기틀이 되었다. 지속적인 토지 제도 개선을 통해 귀족에게 세습되던 토지권 또는 수조권을 현직 관리에게만 제한한 것은 왕권을 강화하기 위해 꼭 필요한 제도라 할 수 있다.

실력 키우기

01. [정답] ⑤
[해설] ㄷ의 과거제는 광종이 실시한 정책이다. ㄹ에서 서경을 중시한 것은 맞지만 수도는 개경에 두었기 때문에 옳지 않다. ㅂ에서 언급하는 국경은 옳지만, 그곳에 천리장성을 쌓은 것은 아니기 때문에 틀리다.

02. [정답] ③

[해설] 보기에서 설명하는 왕은 광종이다. 광종의 업적으로 볼 수 없는 것은 ③으로 이 것은 태조 왕건 때 정한 것이다.

03. 1) [정답] ○

2) [정답] ×: 5도에는 주현군, 양계에는 주 진군이 주둔했다. 2군 6위는 각각 궁궐과 수도를 방어했다.

3) [정답] ×: 모든 군현에 지방관을 파견하 지 못했다.

4) [정답] ×: 특산품을 생산한 특수 행정 구 역은 소

5) [정답] ×: 문장력을 뽑는 것은 제술과, 유 교 경전 실력을 겨루는 것은 명경과였다.

04. [정답] ①, ⑤

[해설] ① 대화궁은 묘청의 난이 일어나기 전에 서경에 지은 것이다. ⑤무신 정권 시기 에는 농민들의 세금이 더 가중되었기 때문 에 백성들의 지지를 얻었다고 보기 어렵다.

05. [정답] ①

[해설] ② 최충헌이 자신을 암살하려는 자를 색출하기 위해 만든 것은 '교정도감'이다. ③ 천민 출신으로 최초로 무신 정권의 우두 머리가 된 사람은 이의민이다. ④'중방'은 고려 초기부터 무신들이 국방을 의논하던 회의 기구이다. ⑤ 최씨 정권을 보호하기 위 해 최우가 만든 사병 조직은 '삼별초'이다.

06. [정답] ④

[해설] 농민의 난이 전국 곳곳에서 일어난 배경은 지배층끼리 권력을 차지하거나 유지 하기 위해 권모술수를 쓰는 데에만 급급하

고 백성들의 생활을 돌보지 않았기 때문이 다. 더 나아가 가혹한 세금을 거두어 백성들 이 고향을 떠나 산적이나 도적이 되는 경우 들이 허다했다. ④의 부유한 평민들이 구심 점이 되었다는 설명은 옳지 않다.

Chapter 09

책을 읽기 전에

* 거란과 고려의 전쟁, 여진과의 갈등, 고려와 다 른 나라의 교류

[해설] 9장 부분별 소제목을 활용하여 책을 읽 으며 만나게 될 사건들을 예측해 본다.

책을 읽으며

1. [예시 답] 생략

[해설] 본문을 읽으며 중요하다고 생각하는 내 용에 밑줄 치며 읽는다. 문장 전체로 밑줄을 긋 기보다 단어나 어구 등 최소한으로 표시한다.

2. [해설] 스스로 읽으며 밑줄 친 내용과 일치하 는지, 어떤 내용이 질문으로 제시되었는지 생 각하며 읽는다.

⊞ 서희가 외교 담판으로 얻어 낸 땅은?: 거란의 침입과 격퇴

1) 북방 유목

2) 송, 문치주의

3) 거란족, 발해, 송, 요

4) 북진 정책

5) 30만

6) 고려

7) 화친, 서희

8) 소손녕, 여진

9) 여진, 강동 6주, 압록강

10) 강조, 송

11) 개경, 양규

12) 불교, 초조대장경, 몽골

13) 강동 6주

14) 강감찬, 귀주

15) 천리장성, 나성

🅑 윤관이 별무반을 조직한 까닭은?: 여진의 성
　장과 동북 9성 축조

1) 여진, 윤관, 별무반

2) 동북 9성

3) 금, 요, 송

4) 군신, 이자겸

🅑 코리아를 세계에 알리다: 고려 전기의 활발한
　대외 교류

1) 금, 비단, 아라비아

2) 벽란도

3) 코리아

4) 송

5) 학문, 법, 문치주의

6) 귀족

7) 대장경

8) 여진

9) 일본

3. [예시 답]

1차: 서희의 외교 담판 → 강동 6주 획득 → 압
록강까지 영토 확대

2차: 강조의 정변 구실로 침략 → 개경 함락 →
양규 활약으로 거란군 격퇴

3차: 거란의 강동 6주 반환 요구 → 강감찬의
귀주 대첩

🅑 거란 대 고려

1. ㉠ 거절, ㉡ 거란, ㉢ 화친, ㉣ 서희, ㉤ 강동 6
주, ㉥ 강조, ㉦ 양규, ㉧ 초조, ㉨ 강감찬, ㉩
호족

[해설] 10세기 말에서 11세기 초, 3차에 걸쳐
벌어졌던 거란의 고려 침략에 대해 정리한다.

🅑 고려 대 여진

1. ㉠ 조공, ㉡ 격퇴, ㉢ 승리, ㉣ 별무반, ㉤ 윤관,
㉥ 동북 9성, ㉦ 금, ㉧ 군신, ㉨ 이자겸

[해설] 고려의 조공을 바치던 부족인 여진족이
세력이 커지고 나라를 세우고 이후 입장이 바
뀌는 과정을 시간의 흐름에 따라 정리해 본다.

🅑 고려의 대외 교류

1. ㉠ 요/거란, ㉡ 여진, ㉢ 송, ㉣ 벽란도

[해설] 고려 전기 고려와 교류했던 나라들과
교류 내용을 알아본다.

1. 1) [정답] 거란이 동아시아의 최강국으로 자리
잡으며 송을 압도하고 있었고, 거란, 송, 서
하, 대월, 고려 등 각국이 스스로 황제라 칭하
며 세력이 팽팽하게 균형을 이루고 있었다.

[해설] 생략

2) [예시 답] 본래 고려는 송에 대해서는 친선
관계를, 거란에 대해서는 적대 관계를 기본

틀로 삼고 있었지만, 함부로 처신하지는 않았을 것이다. 특히 거란이 군사 최강국이었던 점을 감안하면 고려는 자국의 실리를 위해 당시 국제 정세를 면밀히 살폈던 것으로 보인다. 주변국에 대한 정보력과 황제국으로서의 자부심, 그리고 상대국에 대한 외교력이 당시의 균형을 이루었던 저력이라고 생각한다.

[해설] 1번에서 살펴보았던 국제 정세를 바탕으로 고려가 세력 균형을 유지하고 평화를 이어갈 수 있었던 저력이 무엇이었을지 짐작해 보는 활동이다. 사실 고려는 송에 대해서는 친선 관계를, 거란에 대해서는 적대 관계를 기본 틀로 삼고 있었지만, 그 기본 틀을 고집하기엔 10세 초 국제 정세는 거란에 힘이 쏠려 있었다. 만약 고려의 자존심을 앞세워 거란에 맞서려고만 했었다면 자칫 고려는 큰 피해를 볼 수도 있었기 때문이다. 이런 점들을 미루어 보아 고려가 어떤 노력을 기울였으며 그것이 주효했을지 생각해 본다.

실력 키우기

01. [정답] ⑤

[해설] 생략

02. [정답] ④

[해설] A 지역의 거란에 대한 설명을 찾는 활동이다. 완예부 부족이 통일한 것은 여진족이다.

03. [정답] (나)-(다)-(라)-(가)

[해설] 생략

04. [정답] ③

[해설] 고려는 거란과의 전쟁 이후 무역 활동을 이어갔다.

05. [정답] ㉠ 벽란도, ㉡ 예성강

[해설] 생략

Chapter 10

책을 읽기 전에

* [예시 답] 생략

[해설] 10장 부분별 소제목을 활용하여 책을 읽으며 만나게 될 사건들을 예측해 본다.

책을 읽으며

1. [예시 답] 생략

[해설] 본문을 읽으며 중요하다고 생각하는 내용에 밑줄 치며 읽는다. 문장 전체로 밑줄을 긋기보다 단어나 어구 등 최소한으로 표시한다.

2. [해설] 스스로 읽으며 밑줄 친 내용과 일치하는지, 어떤 내용이 질문으로 제시되었는지 생각하며 읽는다.

❿ 처인성 전투의 승리가 의미 있는 까닭은?: 몽골의 침략과 대몽 항쟁의 전개

1) 몽골, 칭기즈 칸

2) 원, 베이징, 중국

3) 금, 거란, 고려

4) 강동성

5) 공물, 저고여

6) 최우

7) 귀주성, 충주성, 노비, 천민

8) 개경, 다루가치

9) 강화도

10) 김윤후

11) 충주성

12) 초조대장경, 황룡사 9층 목탑

13) 강화

14) 개경, 무신 정권

15) 강화도, 개경

16) 원

17) 삼별초, 강화도, 진도, 제주도

⊕ 몽골풍과 고려양은 무슨 뜻일까?: 원의 내정
　간섭과 권문세족의 성장

1) 왕, 충

2) 전하, 세자

3) 원, 부마국

4) 첨의부, 4사, 몽골

5) 일본, 태풍

6) 정동행성

7) 쌍성총관부, 충렬왕

8) 공녀, 조혼

9) 권문세족

10) 농장, 노비

11) 기철

12) 몽골풍, 고려양

⊕ 전민변정도감을 만든 까닭이 뭘까?: 공민왕의
　자주적 개혁 추진과 결과

1) 홍건적

2) 공민왕, 왕권

3) 권문세족, 정방

4) 서연

5) 원, 정동행성, 쌍성총관부

6) 전민변정도감, 신돈, 권문세족, 양인

7) 성균관, 명

⊕ 신진 사대부가 힘을 얻으면 누가 몰락할까?:
　고려 말 신진 세력의 등장

1) 서경, 개경, 안동

2) 왜구, 세금

3) 최영, 이성계

4) 최무선, 화포, 쓰시마섬

5) 신흥 무인

6) 신진 사대부, 관리, 향리

7) 성리학, 과거, 안향

8) 명

⊕ 이성계는 왜 요동 정벌을 반대했을까?: 고려
　의 멸망과 조선의 건국

1) 이인임, 우왕

2) 명, 철령위

3) 최영, 요동, 이성계

4) 위화도, 개경

5) 온건파, 급진파

6) 온건파, 불교, 정몽주

7) 급진파, 정도전

8) 토지, 과전법

9) 정몽주, 이방원

10) 공양왕, 조선

3. [해설]

공민왕의 개혁 정치

- 반원 자주 정책: 친원 세력 제거, 정동행성
폐지. 쌍성총관부 공격(영토회복), 고려 제도
부활, 몽골 풍습 금지

- 내정 개혁: 신돈 등용, 전민변정도감 설치

⊞ 몽골의 침략

1. ㉠ 거란, ㉡ 국교, ㉢ 최우, ㉣ 다루가치, ㉤ 강
   화도, ㉥ 초조, ㉦ 처인, ㉧ 충주성, ㉨ 개경, ㉩
   무신 정권, ㉪ 삼별초
   [해설] 몽골 부족 통일 후 세워진 몽골 제국이 고
   려에 여러 차례 침략했던 과정을 정리해 본다.

2. ㉠ 정동행성, ㉡ 쌍성총관부, ㉢ 권문세족
   [해설] 몽골(원)의 고려 침략 후 원 간섭기가
   시작되며 고려에 생긴 변화를 알아본다.

⊞ 공민왕의 개혁

1. ㉠ 권문세족, ㉡ 전민변정도감, ㉢ 신돈, ㉣ 정
   동행성, ㉤ 쌍성총관부, ㉥ 우왕
   [해설] 원 간섭기를 끝내려 애쓴 공민왕의 개
   혁 과정과 결과를 정리해 본다.

⊞ 신흥 무인 세력, 신진 사대부 등장

1. ㉠ 신흥 무인 세력, ㉡ 신진 사대부
   [해설] 고려 말에 등장해 조선 건국에 중심 역
   할을 한 세력에 대해 알아본다.

2. ㉠ 명, ㉡ 최영, ㉢ 4불가론, ㉣ 위화도, ㉤ 급
   진파, ㉥ 과전법, ㉦ 정몽주, ㉧ 공양왕, ㉨
   1392
   [해설] 고려에서 조선으로 넘어가는 과정을 정
   리해 본다.

1. **[예시 답 1]** 사람은 사회를 이루어 살아간다.
   사회 속에서 자신이 스스로 어떤 역할을 맡기
   도 하고 또는 맡겨지기도 한다. 사회 구성원은
   모든 구성원이 각자 자신의 역할을 잘 수행해
   나가리라 기대하며 살아가고 있다. 그런데 누
   군가 그 역할을 충실히 해 나가지 않는다거나
   거부하게 되면 혼란이 발생한다. 특히 막중한
   임무를 지닌 경우 그 피해는 상상을 초월한다.
   이성계는 출병하기 전에 충분히 논의할 수 있
   는 기회가 주어졌음에도 그 논박에서 상대방
   을 설득하지 못했다. 5만 군사의 목숨이 소중
   하듯이 개경에서 살육한 백성들의 목숨 또한
   소중한 것이다. 이는 자신의 안위를 우선 생각
   한 끝에 내린 결정이라는 검사 측의 의견을 받
   아들여 피고 이성계는 유죄.
   [예시 답 2] 권력이란 청빈했던 사람마저 끝내
   물들이고 마는 마력이 있다. 공민왕이 죽자 권
   문세족이었던 이인임이 어린 우왕을 왕위에
   앉히고 권력을 휘둘렀을 때 그를 제거하고 왕
   에게 권력을 바친 사람이 최영과 이성계이다.
   하지만 어린 우왕은 장인이었던 최영의 말에
   더 귀를 기울일 수밖에 없었고 최영은 젊은 이
   성계가 견제의 대상이었다. 즉, 최영의 입장에
   서는 이성계를 제거할 정치적 동기가 충분했
   던 것으로 보인다. 무엇보다 위화도에서 물이
   불어 건널 수 없었던 것은 다수의 증인에게서
   확인되는 바이며, 진군이 늦어지는 상황이 계
   속되면 아군에게 불리하기 때문에 철군하는
   것은 합리적 판단이었다. 하지만 이 소식을 들
   은 최영이 군사를 몰고 나와 회군하는 군대를

공격했기 때문에 이성계는 자기방어 차원에서 개경을 공격할 수밖에 없었다. 따라서 이성계를 유죄로 보기 어렵다.

[해설] 역사에서 자주 논란이 되는 이성계의 위화도 회군 사건에 대한 자기 생각을 정리해 보는 활동이다. 정답이 있다기보다는 역사적 사건을 깊이 있게 들여다보고, 나라면 어떻게 했을까 더 나아가 어떤 선택이 옳았을까를 역사 속 상황에 맞춰 생각해 보는 것에 의미를 둔다.

01. 1) [정답] ○

2) [정답] ○

3) [정답] ×: 권문세족 → 신진 사대부

4) [정답] ×: 몽골풍 → 고려양, 고려양 → 몽골풍

5) [정답] ×: 귀주성 → 강동성

02. [정답] ②

[해설] 삼별초 항쟁은 개경 환도 이후에 이뤄졌다.

03. [정답] ②

[해설] 공녀는 결혼하지 않은 어린 여성들만 대상으로 했기 때문에 일찍 시집 보내는 조혼 풍습이 생겼다.

04. [정답] ④

[해설] 전민변정도감은 반원 자주 정책이 아니라 왕권을 강화하기 위한 정책으로 봐야 옳다.

05. [정답] ①

[해설] ② 명망 있는 가문 출신이거나 음서로 관리가 된 사람은 권문세족이다. ③은 신흥 무인 세력에 대한 설명이다. ④ 신진 사대부가 성리학을 공부한 것은 맞지만 대농장을 소유하지 못하고 중소지주에 불과한 사람들이 대부분이었다. ⑤ 신진 사대부는 불교가 아닌 유교에 사상적 기반을 두었다.

06. [정답] ③

[해설] ③ 권문세족의 토지를 몰수해 신진 사대부에게 나눠 주었다.

07. [정답] (라)-(다)-(나)-(가)

* [예시 답] 생략

[해설] 제시된 질문의 답을 생각하며 11장 내용을 예측해 본다.

1. [예시 답] 생략

[해설] 본문을 읽으며 중요하다고 생각하는 내용에 밑줄 치며 읽는다. 문장 전체로 밑줄을 긋기보다 단어나 어구 등 최소한으로 표시한다.

2. [해설] 스스로 읽으며 밑줄 친 내용과 일치하는지, 어떤 내용이 질문으로 제시되었는지 생각하며 읽는다.

 박유가 사람들에게 손가락질당한 까닭은?: 고려의 가족 제도와 풍속

1) 일부일처제, 부부, 자식

2) 신분, 신부, 처가살이

3) 지위, 순서

4) 재산

5) 재산, 관청

6) 제사, 호주

7) 호칭, 아자비, 아자미

8) 향도

ⓑ 고려 전기의 불상은 왜 클까?: 고려 시대 불
  교 예술의 발달

1) 불교, 사경, 공덕

2) 안정감, 비례

3) 철조, 석조

4) 문벌 귀족, 호족

5) 부석사, 소조, 아미타여래

6) 원, 라마교

7) 신라, 월정사

8) 개성

9) 승탑

10) 불화, 수월관음도

11) 개성, 만월대, 신라

12) 목조, 배흘림

ⓑ 고려 시대에 가장 유명한 사립 학교는 무엇일
  까?: 불교 사상, 유학과 도교의 발달

1) 의천, 송

2) 교종, 선종

3) 화엄종, 해동 천태종

4) 선종

5) 지눌

6) 정혜결사, 정혜쌍수, 돈오점수

7) 혜심, 유불일치, 요세, 결사운동

8) 유학, 국자감, 향교

9) 구재학당

10) 도교, 초례

11) 풍수지리설, 묘청

ⓑ 세계에서 가장 오래된 금속 활자 인쇄본은?:
  인쇄술의 발달과 역사서의 편찬

1) 초조대장경, 몽골, 최우, 대장경판

2) 16년, 선원사, 조선, 해인사

3) 팔만대장경

4) 과거, 금속

5) 몽골

6) 직지심체요절

7) 대장도감, 향약구급방

8) 김부식, 삼국사기

9) 유교, 신라

10) 이규보, 고구려

11) 일연, 삼국유사, 고조선

ⓑ 세계가 놀라는 고려청자의 비법은 뭘까?: 고
  려청자와 고려의 공예

1) 귀족, 고려청자

2) 비취

3) 상감 청자

4) 귀족, 불교

5) 대몽 항쟁, 왜구

6) 분청사기

7) 은

8) 나전 칠기

9) 당, 송, 원

10) 송, 아악, 속요

3. [예시 답]

불상 - 탑 - 승탑 - 건축 - 불화 - 자기

- 고려 초기에는 쇠로 만든 철불이 유행했으며, 인체 표현이 과장된 거대한 석불이 있었다. (논산 관촉사 석조 미륵보살 입상 등)
- 6각 또는 8각의 다층 석탑이 많이 만들어졌다. (평창 월정사 8각 9층 석탑 등)
- 불화는 고려 후기에 많이 제작되었으며, 왕실과 귀족들의 복을 기원했다. (수월관음도)
- 고려의 자기는 신라의 기술을 바탕으로 송의 자기 기술을 수용했다. 귀족들의 호화로운 생활을 반영했다. (상감 청자)

한눈에 보기

▣ 고려 사람들의 생활 풍속

1. ㉠ 평등, ㉡ 처가살이, ㉢ 가능, ㉣ 상속
[해설] 결혼, 상속, 제사와 같은 가족 제도에서 볼 수 있는 고려의 특징적인 생활 풍속을 알아본다.

▣ 고려의 불교 건축물

1. ㉠ 관촉사, ㉡ 용미리, ㉢ 부석사, ㉣ 원, ㉤ 신라, ㉥ 10층, ㉦ 봉정사 극락전
[해설] 고려 문화의 중심인 불교와 관련해 불상, 석탑, 사찰의 특징과 대표 유적을 알아본다.

▣ 고려의 종교와 사상, 문화와 예술

1. ㉠ 교종, ㉡ 의천, ㉢ 교종, ㉣ 선종, ㉤ 선종, ㉥ 지눌, ㉦ 선종, ㉧ 실패, ㉨ 신진 사대부
[해설] 고려 역사에서 시기별로 불교 사상의 변화 과정을 정리하며 알아본다.

2. ㉠ 왕실, ㉡ 신라
[해설] 불교나 유학에 비해 비중은 적지만 때로 유행하며 역사적 자취를 남긴 도교와 풍수지리설에 대해 간단히 정리해 본다.

3. ㉠ 국자감, ㉡ 향교, ㉢ 사학 12도, ㉣ 성리학
[해설] 고려의 통치 이념으로써 큰 역할을 한 유학에 대해 알아본다.

4. ㉠ 목판, ㉡ 초조대장경, ㉢ 팔만대장경, ㉣ 활자, ㉤ 직지심체요절
[해설] 목판 인쇄술에 이어 금속 활자까지 고려의 인쇄술 내용을 정리해 본다.

5. ㉠ 삼국사기, ㉡ 신라, ㉢ 고구려, ㉣ 일연, ㉤ 단군, ㉥ 고조선
[해설] 고려 시대에 편찬된 역사서들을 시기별로 정리하며 각 역사서의 특징을 알아본다.

6. 1-4-2-3-5
[해설] 고려청자 탄생-순청자-상감 청자-청자 기술 쇠퇴-새로운 기법의 청자로 이어지는 청자 기술 변화 과정을 정리해 본다.

7. ㉠은 입사 기법, ㉡ 나전 칠기, ㉢ 구양순체, ㉣ 사군자, ㉤ 아악
[해설] 틀리게 쓰인 내용을 맞게 수정하며 고려의 공예 기술과 예술에 대한 내용을 알아본다.

역사 논술

1. [예시 답] 생략
[해설] 잘 알려지지 않은 고려 문화 중 외국인에게 소개하고 싶은 것을 하나 골라 블로그에 올려 보는 활동이다. 안내에 따라 블로그 내용을 정하고 제목을 만들어 정리해 본다.

01. [정답] ③

　　[해설] 고려 시대에는 '외가', '외할아버지', '외할머니' 등 외가에 대한 별도 호칭 없이 할아버지, 할머니는 모두 '한아비', '한어미'로 구분 없이 사용되었다.

02. [정답] ⑤

　　[해설] 자료에 제시된 문화재는 영주 부석사 무량수전이다.

03. [정답] ④

　　[해설] (가)는 고려 초기의 불상, (나) 고려 중기, (다)는 원의 간섭을 받던 고려 후기의 불상이다. ①, ② 고려를 건국했던 세력은 호족으로 자신의 세력을 과시하기 위해 크고 자유로운 기운의 불상을 주로 제작했다. ③ 고려 중기에는 호족이 문벌귀족으로 되면서 불상의 표정이 근엄하고 형식적으로 바뀌었다. ④형식과 교리를 중요하게 여긴 것은 문벌귀족이다. ⑤ 원의 간섭을 받던 시기에는 원의 라마교가 유입되며 허리가 길고 화려한 치장을 한 불상이 유행했다.

04. [정답] ③

　　[해설] ①《사략》은 현존하지 않는다. 현존하는 가장 오래된 역사서는《삼국사기》이다. ②《삼국사기》는 김부식이 유교적 합리주의에 따라 썼다. ④ 이승휴가 지은《제왕운기》는 고조선을 우리나라 최초의 국가로 기록했다. ⑤《동국이상국집》은 고구려의 주몽의 일대기를 기록하고 있다.

05. [정답] ②

　　[해설] 글에서 설명하고 있는 인물은 보조국사 지눌이다. ① 지눌은 깨달음 후에도 수양을 계속해야 한다는 돈오점수를 주장했다. ③ 해동 천태종을 창시한 것은 의천이다. ④ 결사 운동은 요세라는 승려가 일으킨 운동이다. ⑤ 유불일치를 주장한 승려는 혜심이다.

06. [정답] ④

　　[해설] 직지심체요절은 묘덕이라는 여성의 시주를 받아 흥덕사에서 간행한 책이다. 국가가 주도하여 편찬했다는 설명은 옳지 않다.